Mon mari, ses femmes, leurs enfants et moi

Louise Girardin

MON MARI, SES FEMMES, LEURS ENFANTS ET MOI

Récit

LANCTÔT
ÉDITEUR

LANCTÔT ÉDITEUR
1660 A, avenue Ducharme
Outremont, Québec
H2V 1G7
Téléphone : (514) 270-6303
Télécopieur : (514) 273-9608
Adresse électronique : info@lanctot-editeur.com
Site Internet : www.lanctot-editeur.com

Impression : AGMV Marquis

Photo de la couverture : Nathalie Gagnon

Photo de l'auteure : Olivia Viveros

Révision et correction : Patricia Amédée, Corinne Danheux

Mise en pages et conception de la couverture : Benoît Desroches

Distribution :
Prologue
Téléphone : (450) 434-0306 / 1-800 363-3864
Télécopieur : (450) 434-2627 / 1-800 361-8088

Distribution en Europe :
Librairie du Québec
30, rue Gay-Lussac
75005 Paris
France
Télécopieur : 01 43 54 39 15
Adresse électronique : liquebec@noos.fr

Nous remercions le ministère du Patrimoine canadien et le Conseil des Arts du Canada de l'aide accordée à notre programme de publication. Nous remercions également la SODEC, du ministère de la Culture et des Communications du Québec, de son soutien. Lanctôt éditeur bénéficie du Programme de crédits d'impôt pour l'édition de livres du gouvernement du Québec, géré par la SODEC.

Nous reconnaissons l'aide financière du gouvernement du Canada par l'entremise du Programme d'aide au développement de l'industrie de l'édition (PADIÉ) pour nos activités d'édition.

Dépôt légal — 2005
Bibliothèque nationale du Québec
Bibliothèque nationale du Canada
ISBN 2-89485-329-7

REMERCIEMENTS

Pour leur aide technique : Lise Le Roux, Olivia Viveros, Christian Stoïa et Sylvie Alarie.

Pour leurs encouragements : Dany Laferrière, Jean Décarie, Charlene Rains, Guy Girardin, Rolande Girardin, le docteur Alain Sane, Chantal Gariépy, Michel Brûlé, Ingrid Remazeilles, Louis-Philippe Messier, Benoît Desroches, Corinne Danheux, Patricia Amédée, Doris Brasset, Fabienne Michot et le docteur Alain Roy.

À ma sœur Denyse, à titre posthume.

À Antoine, Dany et Olivia.

À Omar, Mao et Niamo.

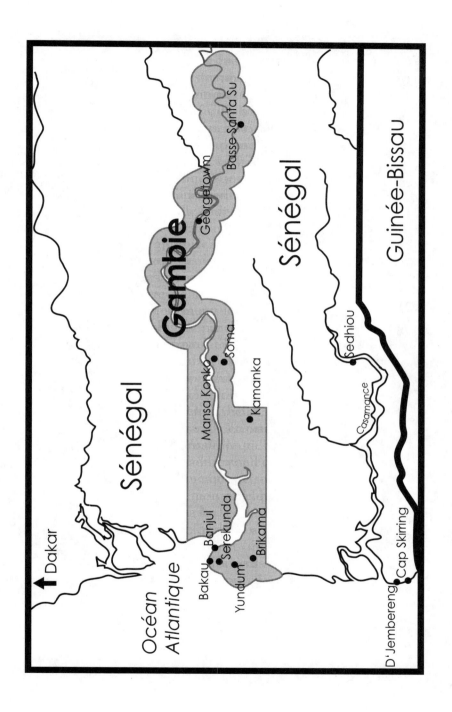

PRÉFACE

Il y a cinquante-trois pays en Afrique. Des millions de familles. Des milliers d'ethnies et de langues. Des dizaines de religions. J'ai connu UN minuscule pays qui s'appelle la Gambie. UNE famille, de l'ethnie baïnunk intégrée à l'ethnie mandingue. Musulmane avec un fond animiste. Cette famille, avec sa culture, ses mœurs, sa mentalité, n'est pas nécessairement représentative DES Africains. Elle est unique. Et je l'aime profondément.

PROLOGUE

La pluie joue du tam-tam sur le toit de tôle ondulée. Il souffle un vent à étêter les palmiers. Boucan d'enfer. Saison des pluies africaine. Je termine le repassage, en écoutant une cassette de Youssou N'Dour. Prince, mon petit singe, perché sur l'armoire, suit mes mouvements. Il se précipite soudain vers la porte d'entrée en poussant des cris stridents. Intriguée, je coupe la musique et j'entends héler un « FATOUMATA! », accompagné de cognements qui ébranlent la porte de bois. Je vais ouvrir et me retrouve devant Cheik, le taille sénégalais du quartier, complètement trempé, mais hilare.

Après les salutations *salamalequiennes* en wolof, nous passons au français avec délices. Il ne parle ni mandingue ni anglais, les principales langues parlées ici en Gambie. Il vient voir si Mao, mon mari, est rentré. Il me dit avoir frappé chez mes coépouses, sans avoir obtenu de réponse. Je lui explique que Mama Keba se repose, elle a une fin de grossesse difficile. Quant à Mariatou, elle est sûrement à la cuisine, derrière la maison. Ce n'est ni son tour ni le mien d'accomplir les tâches ménagères, mais, entre coépouses, il faut bien s'aider. Alors, nous remplaçons Mama Keba, l'une à la préparation du repas, l'autre au repassage de toute la smala.

La pluie s'arrête aussi soudainement qu'elle avait commencé. Tout semble si calme tout à coup. Plus un souffle de vent, mais toujours une moiteur omniprésente en cette saison. Cheik en profite pour s'éclipser. Je rentre ouvrir porte et fenêtres, remets la musique et sors un fauteuil sous le porche. Je m'y laisse tomber avec un soupir de bien-être. Prince me saute aussitôt sur les genoux et s'étale pour jouer à l'épuçage. Quel instant sublime de détente totale! Les moments de solitude sont très rares.

En effet, quelques minutes plus tard, la porte de la concession s'ouvre en grinçant. Ce sont les deux fils de Mama Keba, qui ont attendu la fin de la pluie pour revenir de l'école. Voyant la porte de chez leur mère fermée, ils viennent vers moi. Au même moment, Mariatou, sa fille maintenue sur son dos par un pagne, nous apporte une assiette pleine de tranches de mangues bien juteuses, tombées pendant l'orage. Après distribution, dégustation, rinçage de mains et de mentons, j'installe les garçons afin qu'ils révisent leurs leçons sans déranger leur mère.

Je vois sur la table la lettre de ma fille, reçue ce matin. Je vais retrouver mon fauteuil et la relis une énième fois. Après m'avoir donné des nouvelles de ses frères, de son copain et m'avoir assuré que tous vont bien, elle m'annonce la mort de ma cousine Monique, tuée dans un accident de voiture. Cinquante-deux ans, deux fils, une fille, comme moi... Enfants, nous passions nos vacances d'été ensemble à la ferme de notre grand-père à Yamachiche, près de Trois-Rivières. C'est si loin, comme une autre vie. Nostalgie! Les yeux fermés, je repense à mon enfance, rêve à l'hiver, à la neige, à Montréal, à ma famille, à mes amis, à mes enfants surtout. J'essaie, une fois de plus, de repousser ces images qui reviennent régulièrement, qui me font mal et qui menacent ma sérénité. Mais, cette fois encore, c'est inutile. Ma gorge se serre, les larmes montent. J'entends le bruit du camion qui arrive. Les portes de la concession s'ouvrent, le mastodonte entre. Mao en descend rapidement et s'élance vers moi, tout souriant: «Hello Fatoumata! Comment a été ta journée?» Ma journée!... Je respire un grand coup, je lui souris et je reviens à ma réalité.

Ma sœur aînée avait vingt et un ans quand je suis née. Elle avait soixante et onze ans lorsqu'elle est morte d'un cancer généralisé. J'ai passé les trois derniers mois de sa vie à ses côtés. Souffrances atroces, déclin rapide. Elle a quand même pu rester chez elle jusqu'à la veille de sa mort. Elle était ma deuxième mère. Veuve, sans enfant, elle m'aimait, je crois, autant que je l'aimais. Elle me l'a prouvé en me laissant un héritage qui m'a permis de réaliser un rêve d'enfance : aller en Afrique.

À l'école primaire, à chaque visite de Pères Blancs d'Afrique, j'étais fascinée par leurs histoires. Je donnais volontiers mes sous pour contribuer à la construction d'une école ou d'un hôpital de village. En retour, je recevais la photo d'un petit garçon africain. J'imaginais alors comment il vivait, qu'il était mon copain, je lui donnais un nom. Ça me faisait rêver. Plus tard, j'ai pensé à devenir infirmière, même missionnaire, pour pouvoir aller travailler en Afrique.

Omar, un ami gambien, très cher et très proche, apprenant mon départ, me demande s'il peut me confier une somme d'argent à apporter à sa famille. Il me dit que je pourrai séjourner chez son frère, en banlieue de la capitale, puis aller au village, chez ses parents, et y rester aussi longtemps qu'il me plaira. Je dois, de toute manière, traverser son pays pour me rendre de Dakar, au nord du Sénégal, à Ziguinchor au sud. La Gambie étant, ainsi que me l'a si bien dit un ami, comme un doigt dans le cul du Sénégal. Je compte partir pour au moins trois mois et me rendre, si possible, jusqu'à Tombouctou, au Mali. Mes enfants sont adultes et indépendants, je n'ai plus de mari, donc rien ne m'empêche de partir.

Après quelques merveilleuses semaines au nord du Sénégal, j'arrive en Gambie en taxi-brousse. À la frontière, Sénégal-Gambie, il faut changer de véhicule, prendre un taxi gambien pour aller jusqu'au fleuve que l'on traverse en bac. Un voyage qui dure approximativement quarante-cinq minutes. Je remarque, une fois de plus, à quel point les gens sont stoïques. Ils sont debout, tassés comme des harengs en caque, dégoulinant de sueur, certains ont leur barda coincé entre les jambes, un enfant dans les bras, un bébé accroché sur le dos. Ils trouvent quand même le moyen de causer ou de blaguer entre eux, comme s'ils étaient dans une réunion mondaine, même si la mer est assez agitée et que le *ferry* bouge en conséquence. Comme bain de foule... il n'y a pas mieux!

Le bac arrive enfin à Banjul, capitale de cette ancienne colonie britannique, indépendante depuis 1963. Kissima, un ami du frère d'Omar, a été prévenu de mon arrivée. Il doit m'attendre au débarquement de la dernière traversée de la journée. Le hic, c'est que j'arrive avec un jour de retard, m'étant attardée au Sénégal. Il n'est donc pas là. Prévisible! J'attends quand même quelques minutes. S'il était là, il me reconnaîtrait, je suis la seule Blanche sur le quai.

J'aperçois un restaurant à la sortie du port. Je traîne ma valise, décidant d'aller y manger. Il y a un téléphone au bar, alors j'appelle l'ami Kissima. Pas de réponse. Je m'installe devant un sandwich et une bière, et j'attends en retéléphonant régulièrement. Je commence à me sentir un peu indécise. Je cherche un hôtel? Ou j'attends encore un peu? Il fait nuit depuis longtemps quand une dernière tentative me permet de finalement le joindre. Je lui explique où je suis. Il vient me chercher. Il m'a attendue hier. Comme prévu. Nous nous baragouinons des excuses, nous sentant aussi coupables l'un que l'autre de ce malentendu. Il ne veut pas accepter l'idée que ce soit uniquement ma faute. Puis nous partons en voiture pour Serrekunda, grande agglomération de multitudes de petits villages, située à environ quinze kilomètres de la capitale.

L'arrivée à Serrekunda, chez le frère d'Omar, s'avère être une expérience plutôt étrange. C'est une nuit de février sans lune, dans un quartier sans électricité. Kissima doit klaxonner plusieurs fois, réveillant tout le voisinage, avant que l'on ne vienne ouvrir la porte de la concession. Le frère d'Omar, Mao, a d'abord rameuté ses femmes, sa sœur, son beau-frère, son cousin, ses enfants qui dormaient, et toute la maisonnée est là pour m'accueillir. J'entends des « welcome ». Quelqu'un, qui me dit être le cousin et s'appeler Niamo, est le seul, apparemment, à bien parler l'anglais. Il me présente. J'entends des noms : Mao, Mama Keba, Mariatou, Maïmouna, Karamo, Lamine, Bunama. Mais, dans le noir, je vois à peine les yeux et les sourires. Je serre des mains. Je ressens bizarrement une profonde émotion, ils sont tellement chaleureux. On me demande des nouvelles de ma santé, de mon voyage, d'Omar. *Fine, fine, fine*!

Puis, comme il est déjà tard, le cousin, muni d'une lampe torche, empoigne ma valise et tous m'accompagnent jusqu'à la porte du dernier appartement, au bout de la maison. Nous entrons d'abord dans une première petite pièce vide, ensuite dans une deuxième de même dimension où il y a un lit. Point! Un matelas de paille est posé sur un support de bois. Il est recouvert, en guise de drap, d'une nappe à carreaux rouges et blancs comme on en voit dans certains restaurants se prenant pour des bistrots français. Pas d'oreiller. Pas de couverture. Je suis tellement crevée, après huit heures de route depuis Dakar, plus les heures d'attente à Banjul, que cette paillasse me semble être le summum du confort. Après quelques « welcome » supplémentaires, on me laisse la lampe torche, on m'explique où sont les toilettes et comment verrouiller la porte. *Good night*! Je me déshabille en vitesse. De ma valise, je sors un long t-shirt et un pagne qui me servira de couverture. Avec ma serviette de plage, je me façonne un oreiller. Et... au dodo!

Quelques heures, ou n'est-ce pas plutôt quelques minutes, plus tard, je suis réveillée d'abord par des cocoricos se répondant de tous les côtés, puis par la voix du muezzin, faisant l'appel à la première prière de la journée. Ô modernisme! La voix est amplifiée par des haut-parleurs dont le son porte sûrement à des kilomètres à la ronde. Il y a quelque chose de très impressionnant et de très mystérieux à entendre cette mélopée dans le noir. Des portes s'ouvrent ; les hommes, sous le porche, s'interpellent en se saluant. Puis les « *Allah Ou Akbar* » s'élèvent dans un ensemble harmonieux. J'allume la lampe torche et regarde l'heure à ma montre. Six heures ! Je bâille et me recouche. Comment dormir ? Le soleil est à peine levé que j'entends déjà la radio, des aboiements, des bêlements, des cris d'enfants et les conversations des adultes, qui ont tous la particularité de parler très fort. Au début de mon séjour sur le continent, le phénomène m'inquiétait, je croyais que l'on se chamaillait. J'imaginais les pires drames, jusqu'au moment où j'entendais un grand éclat de rire. Bon ! autant me lever aussi.

Ma chambre a une porte qui donne sur l'arrière de la maison, par où je peux rejoindre, sans être vue, la petite case qui sert de toilettes. On y trouve un trou dans une dalle de ciment et un seau d'eau. De la main droite, avec une vieille boîte de conserve, on puise l'eau et on se lave de la main gauche. C'est la même coutume chez les Hindous, je crois.

Après avoir enfilé un boubou et m'être donné un coup de peigne, je sors, cette fois par la porte de devant, et je vois enfin les visages de mes hôtes. Ils sont tous là, sous le porche, en deux groupes, accroupis autour de bols de bouillie. « Bonjour ! Viens manger ! » Je m'approche, incertaine. Vers quel groupe me diriger ? À ma demande, tous se présentent de nouveau. On me tend une cuillère et on me fait une place autour du bol partagé par Mao, ses deux épouses, Mama Keba et Mariatou, et ses deux fils, Lamine et Bunama. Le bol, une calebasse, est posé directement sur le sol. Comme j'ai du mal à garder l'équilibre dans cette position accroupie, je m'installe sur le petit muret qui borde le porche. Je goûte la bouillie de mil qui s'avère très sucrée, mais pas mauvaise du tout. Je demande s'il me serait possible de boire un café ? C'est une habitude que j'ai acquise il y a trente-cinq ans ; difficile de m'en passer sans avoir de maux de tête. Niamo, qui partage le bol de Maïmouna, la sœur de Mao, de Karamo, le mari de cette dernière, et d'une petite fille qu'on appelle Néné, se lève avec empressement, disant qu'il sait où en trouver. Il s'approche de Mao, qui sort une pièce de sa poche, et part en courant. Les enfants me regardent avec de grands yeux. On me sourit et Mao me demande si j'ai bien dormi. «Oh oui, merci!»

Niamo revient bientôt avec une tasse de plastique contenant un Nescafé importé de Côte-d'Ivoire, le seul vendu partout en Afrique de l'Ouest. Il est bien meilleur que celui que l'on trouve en Amérique qui, lui, vient de Colombie. Il est servi avec une généreuse quantité de lait condensé sucré. Je m'y suis habituée pendant mon séjour au Sénégal. J'apprends d'ailleurs que c'est un Sénégalais qui le vend. Il s'est installé une table au coin de la rue et, avec quelques thermos d'eau chaude, son pot de Nescafé, son lait et quelques tasses, il fait du commerce. C'est l'exemple parfait de la débrouille.

Le petit-déjeuner à peine terminé, les garçons sortent pour aller jouer chez des voisins, le cousin Niamo s'en va travailler comme guide de touristes, m'a-t-il dit, les femmes entrent se changer et se pomponner pour aller au marché, et Karamo part avec son taxi. Il ne reste que Mao, qui doit, en tant que chef de famille et donc mon hôte, me tenir compagnie. Dans un anglais où il n'utilise les verbes qu'au présent, on parle de tout et de rien, avec facilité. Il ressemble beaucoup à Omar. Curieuse, je lui pose des questions sur lui, son travail, son âge, ses épouses. Il répond volontiers, avec beaucoup de spontanéité. Il est l'aîné d'une famille de cinq enfants, il est chauffeur de taxi (qui est en panne). Son âge? Il ne sait pas. Peut-être quarante-cinq ans? Sa première épouse, Mama Keba, qui, selon moi, a environ trente-cinq ans, est la fille d'un cousin de son père. Il l'a vue une fois, elle lui a plu et le mariage a été arrangé par les familles. Ils sont ensemble depuis à peu près treize ans. Ils ont trois enfants: une fille, Fatoumata, douze ans, qui vit au village chez ses grands-parents, Lamine, huit ans, et Boubakar, surnommé Bunama, cinq ans. Deux fausses couches entre la fille et les garçons. J'ai remarqué que Mama Keba a l'air un peu frêle, comparée à Mariatou, la seconde épouse, qui, elle, est plutôt pulpeuse et ravissante. Je crois deviner qu'elle est sa préférée. Elle a vingt-sept, vingt-huit ans peut-être. Ils sont mariés depuis cinq ans et elle n'a pas encore d'enfant. C'est une situation que déplorent la famille de Mao et celle de Mariatou, fille adoptive de sa tante maternelle. Ils se sont vus deux fois avant le mariage.

J'entreprends de lui expliquer comment ça se passe chez nous; comment, très jeunes, les couples se forment, vivent ensemble quelque temps, se séparent, se marient ou pas, avec ou sans l'approbation de leurs parents. Mao est sceptique et, je crois, un peu choqué, mais nous en rions. Il semble être très ouvert et avoir beaucoup d'esprit. Les femmes partent au marché et, au même moment, Mao se lève pour recevoir le mécanicien qui vient pour réparer son taxi.

Avec son autorisation, j'en profite pour faire la visite des lieux. Une concession, appelée en Gambie «compound», est une propriété, dans ce cas-ci de la taille d'un terrain de football, ceinturée de murs en blocs de ciment d'environ deux mètres de hauteur. Trois sont mitoyens avec les voisins. Celui du côté de la rue a une porte de métal à vantaux pour le passage des véhicules, et une plus petite, juste à côté, pour les piétons. Des tessons de bouteilles sont incrustés dans le ciment sur le dessus des murs pour décourager les éventuels voleurs de les escalader.

La maison, de plain-pied, est construite en longueur, comme un motel. Ses murs de ciment sont peints à la chaux et son toit est fait de tôle. Un porche, qu'ils appellent «véranda», est peint en rouge et en fait toute la longueur. Elle est divisée en trois appartements, chacun ayant une entrée à l'avant et deux à l'arrière. Le premier comporte trois pièces : une grande salle où dorment les enfants et qui fait office de salon et de salle à manger les jours de pluie. Il y a deux fauteuils, des nattes roulées qui servent de lits aux enfants, des seaux et des bassines. Au fond, deux chambres côte à côte, celle de droite pour Mariatou, celle de gauche pour Mama Keba. Dans chacune, il y a un grand lit, un coffre pour les vêtements et les articles de toilette et, au mur, des clous pour suspendre les vêtements de Mao. Dans chacune, une fenêtre et une porte donnant sur l'arrière de la maison, un espace où les femmes font la préparation des repas.

Le deuxième appartement est identique au premier. Maïmouna et Karamo occupent une chambre et Niamo, l'autre. Néné, la petite «reste-avec», comme on dit en Haïti, dort sur une natte dans l'entrée. Le troisième, que j'habite, fait en superficie la moitié des deux autres. À l'écart de la maison, une petite case divisée en deux sert de salle de bain et de toilettes. Leurs sols sont en ciment avec, pour l'un, une rigole pour l'écoulement des eaux vers l'extérieur et, pour l'autre, un trou au centre pour les besoins, comme je l'ai déjà mentionné. Dans une pièce comme dans l'autre, on doit toujours être muni d'une lampe torche ou d'une bougie, car une fois les portes fermées, jour ou nuit, on n'y voit rien. Le terrain, face à la maison, est cultivé presque en totalité : maïs, manioc, tomates, papayers, avocatiers et un énorme manguier. La terre est sablonneuse, de couleur ocre orangé, très adhérente ; c'est pourquoi on doit toujours enlever ses souliers avant d'entrer dans une maison. Une longue corde à linge sépare le champ de l'espace où l'on circule.

Après avoir fait l'inspection des lieux, Mao étant toujours occupé avec le mécanicien, j'entre m'habiller et m'installer. Je suspends mes vêtements sur une corde qui traverse ma chambre ; c'est plutôt rudimentaire comme méthode de rangement. Je relis mon journal, que j'essaie de tenir à jour. Je raconte mon voyage pour venir du Sénégal en Gambie. J'y ajoute des commentaires, plus que favorables, sur mes hôtes. J'entends les voix des femmes qui reviennent du marché. Je sors les rejoindre et constate que c'est Mama Keba qui est de « service ». Je devine que c'est un de ses deux jours avec Mao. Elle est déjà derrière la maison dans l'espace cuisine.

Je suis curieuse de voir comment elle s'y prend pour préparer un repas sans cuisinière. Sur un brasero, elle fait cuire d'abord le riz, pendant qu'elle vide et nettoie le poisson, puis, une fois le riz cuit, elle prépare une sauce aux gombos. Elle frit ensuite le poisson à tel point que l'on peut même en manger les arêtes. Vers treize heures, tout est prêt. Dans un grand bol de métal émaillé, joliment peint, elle met d'abord le riz, y répartit la sauce, puis le poisson. Le bol est muni d'un couvercle pour garder les aliments chauds. Le mécanicien est invité à se joindre à nous et nous nous installons par terre, sous le porche. Nous mangeons « à la main »*. Mama Keba, l'hôtesse du jour, divise le poisson et en place une part devant chacun. Comme la sauce est très pimentée, on est vite rassasié. On se rince les doigts de la main droite, la seule avec laquelle on doit manger, à l'aide d'une tasse d'eau qui sera remplie de

---

* Manger à la main : technique africaine qui consiste à saisir la nourriture du bout des doigts de la main droite, à en faire une boulette dans la paume pour ensuite la ramener au bout des doigts et la manger.

nouveau plusieurs fois pour se rincer la bouche puis, pour se désaltérer. Le bol est lavé et mis à sécher sur le muret qui borde le porche. En moins de dix minutes, tout est terminé. Personne n'a parlé. Le repas n'est pas un événement social ; c'est un acte de survie. Je rigole intérieurement en pensant au temps que j'ai pu passer à table, en France, dans la famille de mon ex-mari ! Ici, chacun engouffre la part qui est devant lui, puis se lève et vaque à ses occupations ou commence à faire ses ablutions, puisque c'est l'heure de la troisième prière de la journée.

Lorsqu'il revient du travail, Niamo me décrit ce qu'il a mangé avec les touristes qu'il accompagnait. Il apprécie beaucoup ces occasions qui s'offrent à lui. Il semble assez renseigné sur les Européens et a un gros faible pour les Britanniques. Comme je dois changer mes dollars en monnaie du pays, le dalasi, Mao, toujours occupé par son taxi, lui demande de m'accompagner au marché. J'épie la réaction de ce jeune homme, qui semble avoir vingt-quatre, vingt-cinq ans, qui est plus grand et a le teint plus clair que Mao. Il a l'air absolument ravi.

Niamo et moi nous rendons à pied au marché. Une distance d'un peu moins de deux kilomètres. Nous suivons des rues non pavées, sans nom, sans trottoir, bordées de maisons sans numéro civique. Presque toutes sont clôturées. Il y a plusieurs petits commerces, quelques-uns grands comme des placards : échoppes de tailleurs, de réparateurs de petits appareils électriques, de vélos, de montres, gargotes, et aussi de nombreuses *bitiks*, c'est-à-dire des boutiques où l'on trouve cigarettes, souvent vendues à l'unité, briquets, biscuits, piles, bougies, baume de tigre, lames de rasoir ; bref, offrant la plupart des objets indispensables à la vie quotidienne. La rue qui mène au marché est très fréquentée. Gens marchant à la queue leu leu, mendiants, chiens faméliques, tous doivent zigzaguer entre les vélos, les voitures, les taxis, les motos, les minibus, les charrettes, patiemment, sans aucune hâte ni agressivité. Il fait beaucoup trop chaud pour s'énerver et... ça avancerait à quoi ?

Le marché en plein air s'étend sur environ un kilomètre carré. Autour, on trouve les quincailliers, les vendeurs de peinture, de tissus, de cassettes, de produits de beauté, de literie et autres. À l'intérieur, on vend fruits, légumes, viande, poisson, volaille et autres ingrédients pour la cuisine tels que concentré de tomates, huile, pâte d'arachide, pâtes, etc. Tout peut s'acheter en petite quantité, pour un seul repas. Je suis sollicitée de toutes parts. On m'appelle « *sista* » (pour « *sister* »). Je dois me frayer un chemin dans la cohue. Je n'ai pas envie de rester là trop longtemps ; l'odeur est assez difficile à supporter quand on n'y est pas habitué. Plus loin vers l'arrière, ce sont les boutiques de vêtements neufs. Très peu de choix pour les femmes qui se font plutôt faire leurs vêtements sur mesure par les tailleurs. Les jeans, les pantalons, les t-shirts, les chemises sont pour les hommes et les enfants. Il y a aussi des chaussures pour toute la famille, des bijoux de fantaisie, des accessoires pour la couture, des draps, des serviettes et des centaines d'autres articles, tous plus fascinants les uns que les autres. Les prix me semblent incroyablement dérisoires, même sans marchander.

On trouve plus loin des fripes, expédiées en gros ballots de jute, surtout d'Angleterre, d'Allemagne ou des pays scandinaves. Chacun des marchands a sa spécialité. On peut y faire de vraies trouvailles. Les Gambiens, à moins d'être vraiment démunis, ne s'en approchent même pas. Ils sont bien trop fiers pour acheter des choses que d'autres ont déjà portées. Je n'ai pas ces scrupules et je me promets de revenir à la première occasion. Niamo m'emmène ensuite vers l'endroit où se tiennent les changeurs. Très peu de Gambiens parmi eux. Ce sont surtout des Peuls* guinéens ou sénégalais. Ils opèrent au vu et au su de tous, même si, en principe, ce commerce est illégal. Ils connaissent le cours du change au jour le jour. Ils échangent toutes les devises, même le dollar canadien. Ils sont honnêtes. Ils utilisent une calculette, en vous permettant de suivre les opérations, comptent les billets lentement, vous laissent les compter à votre tour et tout se termine avec une cordiale poignée de main. J'avoue que j'avais un peu peur de me faire rouler, bien inutilement. Au cours des années qui suivront, je garderai toujours le même changeur, un Peul guinéen très sympathique et parlant très bien français.

Une fois mes deux cents dollars changés en dalasis (sept dalasis pour un dollar, la coupure la plus élevée étant de cinquante dalasis), je me retrouve avec une liasse assez impressionnante. Je me sens riche et je suis prise d'une frénésie de tout acheter. Niamo, très patient, me demande de quoi j'ai vraiment besoin. Je veux deux lampes à pétrole, des bougies, un briquet, des allumettes, un cendrier, des draps, un oreiller, une tasse, une petite casserole, du café, du lait condensé et un petit réchaud à gaz propane... pour commencer. Le luxe !

La prochaine fois, j'irai au marché le matin pour voir les femmes qui font leurs emplettes pour le repas du midi. La sortie au marché est un événement social qui permet aux femmes de se rencontrer, d'échanger les derniers potins, les dernières

---

* Les Peuls sont appelés « Fulas » en Gambie.

nouvelles. C'est pourquoi il faut paraître à son mieux. Elles sont belles et fières avec leur démarche chaloupée et leurs gestes lents et gracieux. Niamo souffrira ce soir de torticolis, sans aucun doute.

L'après-midi, ce sont plutôt les hommes que l'on y trouve. Ils sont là pour flâner, rendre visite à des amis ou à des parents qui ont des échoppes, ou pour faire du *bizness*. Plusieurs portent le pantalon et la chemise, style pyjama, faits de cotons imprimés typiquement africains, les plus âgés portent de longues robes droites de style arabe (caftans). Plusieurs sont coiffés de bonnets de laine (*laafa*), coutume assez étonnante dans un pays où il fait si chaud! Les jeunes, qui se veulent plus cool, imitent les Américains: jeans, t-shirt, casquette et baskets. Plusieurs se prennent pour des rastas avec leurs dreadlocks. Mais je suis convaincue qu'ils n'ont jamais même entendu le nom d'Hailé Sélassié. Ils sont bien mignons quand même!

Le vendredi, jour sacré pour la prière à la mosquée, les hommes revêtent leur plus beau boubou de basin richement brodé ou tout autre vêtement de style musulman. C'est très coloré. Les autres jours de la semaine, à l'heure de la prière, ils s'installent n'importe où: sur leur lieu de travail, au milieu de la rue, avec leur bout de carton comme tapis de prière. Ils n'hésitent pas à bloquer, s'il le faut, la circulation. Les moteurs des véhicules sont arrêtés et tout le monde est immobilisé. Avec Niamo, qui a une déformation professionnelle, j'en sais autant après une heure que si je vivais ici depuis des mois. Il est très intéressant et, surtout, adore parler. Il continue. La population est à quatre-vingts pour cent musulmane, le reste étant composé de chrétiens de différentes obédiences et d'animistes. À part les Libanais, les coopérants, les missionnaires, les cadres de l'hôtellerie et quelques enseignants de niveau supérieur, il y a très peu de Blancs. «C'est pourquoi on te regarde beaucoup», me dit Niamo. Je lui réponds que c'est ce qui, personnellement, me rend parfois un peu mal à l'aise. J'aimerais bien passer totalement inaperçue. Dans tous les pays que j'ai visités, surtout ceux en voie de développement, j'ai toujours souhaité me fondre dans la masse, me sentir comme une autochtone. Je n'aime pas être étiquetée d'abord comme Occidentale, donc riche; ça change beaucoup le rapport que l'on peut avoir avec les gens.

De retour à la maison, comme il est encore tôt et que j'ai très hâte de voir la plage, je demande à Mao, voyant que son taxi est réparé, s'il peut m'y emmener. Je vois qu'il accepte pour me faire plaisir. Pour lui, ça n'a rien de très excitant, il y va uniquement pour conduire des touristes et ne reste jamais longtemps. J'ai pris soin de mettre mon maillot sous mes vêtements avant de partir. La plage, qui se trouve à quinze minutes en voiture, est magnifique mais, malheureusement, la plus belle partie est occupée par des hôtels, d'un étage maximum, assez ordinaires. Leur clientèle est majoritairement composée de Scandinaves, d'Anglais et d'Allemands en forfait vacances, tout inclus. Mao me guide à l'écart, loin de cette faune, vers un endroit isolé. Je me déshabille rapidement et j'étends deux grandes serviettes sur le sable. J'ai chaud et je meurs d'envie d'aller me jeter dans les vagues. Mao reste là, planté, à me regarder.

« Alors, Mao, viens dans l'eau avec moi. » « Je ne me suis jamais baigné dans la mer, répond-il, l'air penaud, et je n'ai pas de maillot. » « Oh ! mais viens en sous-vêtement, il n'y a personne », dis-je en espérant qu'il a quand même un slip.

Il se laisse convaincre, se déshabille, s'avance, en slip, d'abord avec précaution, puis je l'entraîne et nous nous jetons dans la première grosse vague. L'eau est tiède, mais elle rafraîchit quand même. Mao en émerge en remontant son slip, qu'il a failli perdre, et me regarde en riant et en toussant ; il a dû boire la tasse. Qu'à cela ne tienne, nous nous éclaboussons, nous agrippant l'un à l'autre pour sauter les vagues. Bref, le genre d'ébats qui conduisent à un rapprochement physique qui n'aurait pas nécessairement eu lieu sur la terre ferme. Le soleil baisse ; nous allons nous asseoir sur une serviette, nous séchant et nous couvrant avec l'autre. Il fait un peu frisquet, Mao passe son bras sur mon épaule pour me réchauffer. Je me rends compte subitement que je suis bien, très bien, même heureuse. Je laisse aller ma tête sur son épaule et nous regardons la mer, sans parler.

Je dois aller au village où vivent les parents de Mao et d'Omar pour leur remettre l'argent et les cadeaux que ce dernier m'a donnés pour eux. Ils sont, paraît-il, déjà au courant de mon arrivée et m'attendent impatiemment. Mao me dit que nous y passerons deux jours. Mama Keba et les garçons nous accompagneront. Après avoir demandé conseil, j'achète du tabac à pipe pour le père, un kilo de noix de kola pour la mère, qui en fera un petit commerce, des bougies, du pétrole pour la lampe que je leur offrirai, du thé vert, du sucre et des piles pour la radiocassette que leur envoie Omar. J'emporte aussi mon oreiller, mes draps, mon réchaud et tout ce qu'il me faut pour mon café matinal, quelques vêtements, et nous voilà prêts pour l'expédition : quatre heures de route, ou plutôt de piste, pour une distance de cent cinquante kilomètres.

Le taxi de Mao est une Toyota 1974, un vrai tacot ! Après deux pénibles heures de route, nous perdons le pot d'échappement. Arrêt obligatoire dans un village. Nous descendons tous. Mao se couche sous la voiture et, à l'aide d'un bout de ficelle que lui apporte un brave homme, remet le tuyau en place. J'en profite pour me dégourdir les jambes et me masser discrètement le postérieur qui a été soumis aux cahotements du tacot dans les multiples nids d'autruches. Des gens, surtout des enfants, arrivent de partout aux alentours, curieux de voir ce qui se passe. Comme je me suis fait bronzer et tresser au Sénégal et que je porte un grand boubou que j'ai acheté à Dakar, j'ai l'impression de passer quand même un peu plus inaperçue qu'une blonde au teint laiteux et aux yeux bleus, en bermuda et en débardeur. Remerciements, salutations, petit cadeau au monsieur de la ficelle, et nous repartons.

La deuxième moitié du trajet reste encore à faire. Il est maintenant midi, il fait environ trente-huit degrés à l'ombre.

Plus on s'enfonce à l'intérieur du pays en s'éloignant de la mer, plus il fait chaud. Je somnole, avec un enfant endormi collé contre moi de chaque côté. Enfin, la voiture ralentit, quitte la route nationale et s'engage dans un chemin qui traverse un petit village. Tous les habitants mâles sont assis à l'ombre d'un gros manguier. Mao salue, il les connaît tous, depuis toujours. Les salutations sont tellement longues que les garçonnets partis en courant à travers champs pour prévenir les gens du village de notre arrivée ont amplement le temps d'y parvenir.

Nous repartons cahin-caha vers Kamanka, le village des parents, situé à environ deux kilomètres plus loin. Pas de rues, des maisons en banco (terre cuite au soleil) et aux toits de paille, éparpillées un peu partout, sans plan précis. Peut-être une trentaine, comme je le constaterai plus tard. Nous roulons au pas, escortés par des enfants qui s'accrochent à la voiture, jusqu'à une petite place située au centre du village. Il y a autour une minuscule mosquée, une plate-forme en bois recouverte aussi d'un toit de paille, quelques maisons dont celle des parents qui, elle, est construite en blocs de ciment, coiffée d'un toit de tôle ondulée. C'est la plus belle du village, grâce à Omar et aux dollars si péniblement gagnés qu'il envoie régulièrement à ses parents.

La voiture s'arrête enfin. Je descends et me retrouve entourée d'une cinquantaine de femmes et d'enfants qui se bousculent, tout contents de me serrer la main. C'est très gentil, mais je plains les *rock stars* ! Quelqu'un me tire vers l'entrée de la grande maison, où je vois Ba Bunja, le père de Mao et d'Omar, que je reconnais pour l'avoir déjà vu en photo. Je suis tellement contente de voir sa bonne tête et son sourire édenté que spontanément je lui fais la bise. Ça ne se fait pas ! Les contacts physiques entre un homme et une femme qui ne constituent pas un couple sont interdits, surtout devant témoins. Comprenant mon ignorance de leurs coutumes, tous s'esclaffent. Puis on me pousse à l'intérieur, vers un fauteuil dans lequel je m'assois, et je me mets à sangloter. Réaction nerveuse due à l'émotion, à la fatigue, à la chaleur, aux gens, à l'étrangeté ? Je ne sais pas.

La pièce est sombre. Il n'y a que quelques personnes à l'intérieur ; les autres sont restées agglutinées à la porte. Un jeune homme vient alors se présenter. C'est Mamadou, le jeune frère, qui ressemble à Omar comme un clone plus jeune. Il me demande pourquoi je pleure, s'inquiète: suis-je malade? Tout ça dans un très bon anglais. Je n'ai pas le temps de lui répondre que la foule à la porte s'écarte pour laisser passer la maman, Na Aminata, qui, en entrant dans la pièce, se dirige vers moi, qui me suis levée, et se jette à genoux. (J'ai appris par la suite que c'était là une façon de remercier Allah de lui envoyer une messagère de son fils.) Spontanément, je fais la même chose. Je l'étreins et me remets à pleurer de plus belle.

J'ai dans mes bras cette femme, toute menue, qui a mis au monde Omar, un homme que j'aime énormément; je suis dans la maison où il est né, où il a passé son enfance, sa jeunesse. Il m'a tellement parlé de sa vie au village, de sa famille, de sa mère qu'il chérit par-dessus tout. Je lui disais alors qu'un jour nous irions ensemble, sans vraiment y croire. C'est à la fois étrange et familier, un peu comme quand on retourne, après plusieurs années, dans un endroit qu'on a connu enfant et qu'on a beaucoup aimé.

Soudain, c'est le brouhaha. Des enfants crient. Cris de joie ou de terreur? C'est difficile à préciser. Nous entendons, venant d'abord de loin, le son des tam-tams qui bientôt se rapproche. Nous sortons de la maison et je vois, venant vers la place, un personnage recouvert de paille, portant un masque de bois et monté sur d'immenses échasses. Il est suivi de quatre joueurs de tam-tam et de dizaines d'enfants qui font mine d'avoir peur. Il vient vers moi et se penche; on crie encore plus fort. J'essaie de sourire, mais je crois que j'affiche plutôt un horrible rictus. J'ai toujours eu une peur bleue des masques, quels qu'ils soient. Et ce, depuis un soir d'Halloween où ma mère avait emmené dans ma chambre, sans doute pour me faire plaisir, des enfants déguisés et masqués. J'avais deux ans et demi, je m'en souviens encore.

Les femmes forment rapidement un cercle et, accompagnant les musiciens, commencent, les unes à taper dans leurs mains, les autres à frapper ensemble deux petites lattes de bois, un son qui évoque un peu celui des castagnettes. Le masque danse; les femmes se retrouvent alternativement au centre du cercle où elles dansent aussi, jamais plus d'une trentaine de secondes à la fois. Mama Keba vient me prendre par la main et m'entraîne avec elle. J'essaie d'imiter ses mouvements. J'ai rapidement le cœur en liesse et le corps en feu. Je crois que je pourrais facilement entrer en transe. Mais la fête dure trop peu ; j'aurais voulu qu'elle continue jusqu'au soir. Les femmes me saluent et retournent chez elles, le masque disparaît, les tam-tams se taisent. Ouf ! quelle réception !

Mamadou descend les bagages de la voiture et m'emmène dans une petite case au sol de terre battue, située face à la maison paternelle. Il y a un lit avec moustiquaire, et une paillasse recouverte d'une nappe à carreaux blancs et... bleus. La pièce s'ouvre à l'arrière sur une petite cour entourée de murs de paille tressée, où m'attendent deux seaux d'eau et un gobelet de plastique. J'ai justement envie de prendre un bain. Au moment où je commence à retirer mes vêtements froissés et poussiéreux, on cogne à ma porte. J'enlève le crochet et j'ai devant moi une jeune fille d'environ douze ans, toute menue et très jolie. Un peu intimidée, mais dans un bon anglais, elle me dit : « Je suis Fatou, la fille de Mao et de Mama Keba. » Elle va à l'école du village voisin depuis six ans, me dit-elle. On cause un peu et je la complimente pour son anglais ; elle baisse les yeux en souriant et en rougissant (oui, les Noirs rougissent !). C'est elle qui a apporté les seaux pour mon bain. Je la remercie chaleureusement, car j'en ai grandement besoin.

Je verrouille de nouveau la porte derrière elle, me déshabille, m'enroule dans ma serviette et vais prendre place dehors, où je m'assois sur une grosse pierre. J'ai appris comment faire pour me laver en gaspillant le moins d'eau possible. Il faut d'abord se verser un filet d'eau sur tout le corps, se savonner en entier puis, en commençant par le haut, se rincer. Toujours avec le moins d'eau possible. Avec mes tresses, pour me faire un shampoing, j'ai besoin de trois seaux ; ce sera pour une autre fois. C'est le même principe que chez Mao, sauf qu'ici je suis assise, nue en plein air. Je ne peux m'empêcher de jeter un regard circulaire vers les grands arbres qui bordent l'enclos, pour m'assurer qu'il n'y a pas quelque gamin, juché sur une branche, en train de m'épier. Mais c'est plus qu'improbable, car un enfant découvert dans une telle position serait corrigé, et très sévèrement. Je me sens un peu comme la première fois que j'ai pris un bain de minuit... à poil ! Je garde un demi-seau d'eau pour plus tard. C'était génial ! Je mets un boubou propre, mais sans mouchoir* sur la tête, pour permettre à mes tresses de sécher.

On frappe de nouveau à ma porte. Cette fois, c'est Mamadou qui, accompagné d'une kyrielle de petits garçons, me présente une maigre poule brune qu'il tient par les pattes. Il me dit qu'on la fera cuire, en mon honneur, pour le repas du soir. Avec ma stupide sensiblerie de Nord-Américaine, je souhaiterais ne pas l'avoir vue vivante. J'accompagne Mamadou chez ses parents. Nous traversons la maison et nous nous retrouvons, en passant par une chambre à coucher, à l'arrière, dans un enclos, où une petite hutte sert de cuisine. Na Aminata s'y trouve avec Mama Keba et une autre jeune fille que l'on me présente comme la sœur de Mariatou. Je les remercie pour la poule et je rentre avec Mamadou qui me fait visiter la maison. Elle comporte six pièces et dans chacune il y a un, deux, ou même trois lits. Dans la grande pièce qui est à l'entrée, il n'y a que deux fauteuils et une natte sur laquelle dort Ba Bunja. Trois des chambres qui sont à l'arrière s'ouvrent sur un enclos. La première donne accès à la case cuisine, la deuxième, à la salle de bain, et la troisième, aux toilettes. La maison, sans aucune fenêtre, est très sombre mais plutôt fraîche.

Je retourne dans ma case chercher les cadeaux que j'ai apportés pour Ba Bunja : le tabac, la lampe à pétrole, les bougies et les piles de ma part et la radiocassette de la part d'Omar. Il l'allume tout de suite et, en entendant de la musique, se met à rire à gorge déployée. Omar a fait un bon choix. Je vais chercher Na Aminata à la cuisine et lui donne le sucre, le thé, le kilo de noix de kola et une chaîne en or que lui envoie Omar. Puis aux deux, je remets une enveloppe qui contient deux cents dollars canadiens convertis en dalasis. C'est l'équivalent de huit mois de salaire d'un instituteur. Leurs yeux brillent, leur sourire est encore plus grand.

Voilà déjà le crépuscule. C'est d'abord la prière, suivie du repas que je partage avec Ba Bunja, Mao (qui avait disparu pour faire la tournée des voisins) et Mamadou. Les femmes et les enfants mangent dans une autre pièce. Le poulet est servi en petits morceaux sur du riz, accompagné de quelques légumes.

---

* Mouchoir : sorte de longue étoffe, appelée aussi «moussoi», que les Africaines portent en turban sur la tête.

Le tout a été cuit dans une sauce assez relevée. On m'a donné, entre autres, le foie et le cœur. C'est bon à s'en lécher les doigts. Ba Bunja, à part le baïnunka, qui est sa langue maternelle, et le mandingue, parle aussi un dialecte, répandu dans les anciennes colonies britanniques d'Afrique de l'Ouest, que l'on appelle le akou. On peut, en écoutant attentivement, reconnaître des mots d'anglais, de portugais, de français et sans doute de quelques langues africaines. Il me demande mon nom, car j'ai été présentée, je crois, comme une amie d'Omar venant du Canada. Je lui dis lentement : « Louise », en appuyant bien sur chaque syllabe. Il essaie de répéter : « Louse, Lousi, Luci. » Me voyant rire en secouant la tête, il échange quelques mots en mandingue avec Mao et ils me baptisent du nom de la grand-mère, c'est-à-dire la mère de Ba Bunja : Fatoumata. C'est déjà le nom de la fille de Mao, surnommée Fatou, et celui de la fille du prophète Mahomet. De Fatoumata je deviendrai Mata pour mes proches.

La nuit tombe en quelques minutes sous les tropiques, mais la température ne descend pas aussi vite. Après le repas, nous nous installons à l'extérieur, sur une grande natte. On raconte des histoires, on boit du thé vert chinois (*ataya*), servi comme en Mauritanie, c'est-à-dire très sucré. C'est un rituel très compliqué : trois services, donc trois petits verres pour chacun. Cela peut durer des heures. C'est un stimulant très puissant et une des principales activités sociales. Je suis assise avec Mao, Fatou, qui s'allonge et pose sa tête sur mes genoux, Mama Keba, Lamine, Bunama, deux amis de Mao et un ami d'enfance d'Omar. Celui-ci est un Peul qui porte le même nom que Mao, c'est-à-dire Maodo, ce qui, dans sa langue, veut dire « l'aîné ». C'est lui qui fait le thé. Je regarde ses gestes, j'écoute les mots, les sons, les intonations, les rires. Je ne comprends pas ce qui se dit, mais pourtant, une fois de plus, je suis bien, tellement bien. J'éprouve, étrangement, un fort sentiment d'appartenance. Je me sens en parfaite harmonie avec tout ce qui m'entoure, comme en état de grâce. Je vais même dormir seule dans ma case, dans l'obscurité la plus totale, sans avoir peur.

Je suis réveillée à l'aube par l'appel à la prière et par le bruit que font les femmes en pilant les céréales pour la bouillie. Ça sent le feu de bois. On entend les coqs ; le village entier se réveille. Je m'étire. J'ai bien dormi. Il fait frais. Je traînasse un peu, mais bientôt je dois obéir à mes entrailles. De ma case à la maison des parents, il y a une trentaine de pas. En les parcourant à la hâte, je dois quand même serrer la main d'une demi-douzaine de personnes. J'entends les « Fatoumata » (c'est la nouvelle moi, ça), « *samanda abegnadi?* ». Traduction littérale : « Comment est le matin? » Je me contente de sourire, je ne me souviens plus de la réponse. Aïe! si seulement il y avait quelque chose qui ressemblait à des toilettes derrière « chez moi », je n'aurais pas besoin d'aller chez les parents. Heureusement, la porte est ouverte. Ba Bunja est assis à l'entrée, sur sa natte. Encore des salutations.

La maison est grande; j'erre d'une pièce à l'autre pour trouver la sortie pour les toilettes. Les femmes sont dans la cuisine. Quand elles me voient, les jambes serrées et le visage crispé, elles devinent tout de suite ce qui se passe et Fatou vient me montrer le chemin. Ouf! il était temps. Mais je me rends compte que j'ai oublié d'apporter de l'eau pour les « ablutions ». Je rentre dans la maison, trouve la pièce où sont les seaux, remplis une grande tasse de plastique dont on se sert sûrement pour boire, mais qu'à cela ne tienne, ni vu ni connu, ça fera l'affaire. Je retourne aux toilettes et fais ce que j'ai à faire, comme si j'avais fait ça de cette manière toute ma vie. Mis à part la position accroupie, que j'ai un peu de mal à garder longtemps. C'est vrai que c'est beaucoup plus hygiénique que de se servir de papier, mais je comprends pourquoi on ne salue ni ne mange de la main gauche.

De retour dans ma case, comme je sais que la bouillie n'est pas encore prête et que j'ai un petit creux, je me fais un sandwich aux sardines avec une demi-baguette, accompagné d'un café. Provisions achetées avant le départ de Serrekunda. Nourrissant petit-déjeuner. À peine ai-je terminé que Mamadou vient me proposer de faire le tour du village et de descendre ensuite au *bolong*, petit affluent du fleuve Gambie, qui n'est pas très loin. D'une maison à l'autre, des enfants se joignent à nous. Pour eux, il se passe enfin quelque chose. Ils ont peu de distractions et n'ont aucun jouet. Nous allons voir le puits muni d'une pompe, offert par l'Arabie Saoudite, le grand jardin communautaire où poussent choux, carottes, piments, laitues, maïs, puis nous longeons les rizières pour nous retrouver sur la berge de la rivière. Une pirogue est là, amarrée. Elle appartient au village. Nous y prenons place, Mamadou et moi, en faisant de longs adieux aux enfants dépités que nous laissons derrière.

Mamadou me raconte qu'il y a une quinzaine d'années, quand il était petit, la forêt venait jusqu'à la rivière. Maintenant, des deux côtés, les rivages sont déboisés sur des dizaines de mètres. Comme il n'y a plus assez de bois mort pour faire le feu pour cuisiner, on coupe des arbres. Si bien que la saison des pluies est de plus en plus courte et cela se répercute sur les récoltes qui sont de moins en moins abondantes. Le Sahel viendra-t-il un jour jusqu'ici? Il n'est pas loin, juste au nord du Sénégal. Selon la croyance populaire, s'il en est ainsi, c'est parce que les gens ne prient pas assez. Mamadou le déplore. On ignore, ou on nie, le rapport entre la coupe du bois et la désertification.

Après la balade, nous pénétrons dans la forêt, peuplée d'arbres immenses, dont Mamadou ignore malheureusement les noms en anglais. C'est très impressionnant. Il lève soudain le bras et m'indique le haut d'un arbre, où j'aperçois un singe qu'il appelle «*green monkey*». Mamadou pousse de petits cris, le singe lui répond en sautant d'une branche à l'autre, montant de plus en plus haut. J'adorerais en posséder un. Je le dis à Mamadou. «Ils sont très difficiles à attraper, m'assure-t-il, pratiquement impossibles.» Dommage!

De retour au village, je vois Mao qui me cherchait. (Tiens, tiens, mon cœur bat plus vite en le voyant.) Il veut que je l'accompagne chez un pêcheur qui habite à une quinzaine de kilomètres au bord du fleuve. J'aurais aimé y aller en pirogue, mais ça prendrait presque la journée. Nous partons donc en voiture. Il est encore tôt, environ neuf heures. Après une très jolie balade le long du fleuve, nous arrivons au petit quai où le pêcheur rentre tout juste avec sa prise. Quelques femmes attendent déjà avec leurs paniers. Elles sont servies, puis vient notre tour. Nous achetons tout ce qui reste: une douzaine de poissons de différentes espèces qui me sont toutes inconnues. Avant de repartir, je veux admirer le fleuve, maintenant malheureusement non navigable, sauf en pirogue. Il n'est plus assez profond, toujours à cause du manque de pluie. Nous nous asseyons sur un tronc d'arbre, les pieds dans l'eau. Mao prend ma main et fait craquer la jointure de mon pouce; il a la manie de faire aussi craquer les siennes. Il rit quand je crie.

«Pourquoi t'a-t-on donné un prénom peul?» je lui demande. Il me répond, dans un anglais que je comprends de mieux en mieux, qu'étant l'aîné, il aurait dû porter le prénom de Lamine, comme presque tous les premiers fils. Mais sa mère, ayant perdu deux bébés avant lui, lui a donné ce prénom, Maodo. Elle-même a changé de nom : de Tida Kambi, elle est devenue Aminata Gueye pour confondre les mauvais esprits. Niamo, le cousin, s'appelle en réalité Ansumana. «*Niamo*» veut dire «herbe»; on l'y a caché à sa naissance, pour les mêmes raisons. Cela fait partie des multiples croyances propres, entre autres, aux Mandingues. Mao trouve très intéressant le fait d'avoir un prénom qui est aussi chinois.

Nous rapportons, à part les poissons, du pain et des Fanta (soda à l'orange) pour toute la famille. Fatou, Lamine et Bunama sont vraiment contents. La sieste de l'après-midi se fait à l'ombre d'un manguier, sur une natte, avec les deux garçons, que je trouve de plus en plus attachants. Ce serait paradisiaque, sauf qu'il y a des vaches tout près, donc des escadrons de mouches.

En rentrant à Serrekunda, j'apprends, par la radio, qu'il y aura un spectacle de Youssou N'Dour en plein air, à Banjul, le soir même. Je demande à Mao de m'y amener. Il accepte avec enthousiasme. Il n'a jamais vu le grand chanteur, cette vedette internationale d'origine sénégalaise, en personne. J'ai eu la chance d'assister plusieurs fois à ses spectacles à Montréal, mais de le voir en terre africaine, c'est autre chose. Tout le monde est debout ; nous nous faufilons au premier rang. J'ai ma caméra vidéo. Je filme depuis quelques minutes, je fais un gros plan sur Youssou, quand un de ses gardes du corps m'interrompt. Il est interdit de filmer ! Le colosse est poli quand même. Mao, qui s'est placé derrière moi, me tient enlacée, et ainsi nous bougeons en harmonie au rythme de la musique. C'est extra ! Et très sensuel ! Après le spectacle, nous allons sur la plage. Nous nous embrassons passionnément, des « *I love you* » sont échangés pour la première fois. Oui, je l'aime, cet homme. C'est fou, mais c'est comme ça. Puis, simplement, il me demande si je veux être sa femme et je réponds « oui » tout aussi simplement. Et c'est comme si une grande paix descendait en moi.

Le lendemain, quand je me lève, tous sont déjà au courant de nos projets. Je ne vois que des sourires sur les visages, sans exception. On me félicite. Mao veut faire les arrangements rapidement. Nous allons chez chacun de ses oncles paternels pour annoncer la nouvelle, et c'est partout la même réaction. C'est la joie ! Le dernier auquel nous rendons visite, Labaly, devra remplacer Ba Bunja, celui-ci ne voyageant plus, et servir de père à Mao. Il me faut aussi un « père ». Nous allons voir un cousin de Na Aminata, et lui demandons s'il est d'accord pour jouer le rôle. (Le plus drôle, c'est qu'il a à peu près mon âge.) Il est honoré, dit-il. Son patronyme est Sambou ; je deviendrai donc Fatoumata Sambou. Nous sommes jeudi ; le mariage se fera le lendemain, vendredi. Mao et moi ne sommes pas tenus d'y assister. Cela pourrait se passer uniquement entre les pères qui, à la mosquée après la prière, préviendraient l'assistance que Mao B. prend pour épouse Fatoumata Sambou. Il y a plusieurs genres de mariages : le traditionnel sans religion, le civil, et le musulman auquel les fiancés ne sont pas obligés d'assister. Par curiosité, je demande à y aller. Puisque j'ai l'air de tellement y tenir, Mao accepte. Ce sera la première fois qu'il assistera à un de ses mariages.

Puisque nous sommes promis l'un à l'autre, selon Mao, il nous est officiellement permis de dormir ensemble. Nous allons passer la nuit dans une hutte sur la plage. Elle appartient à un petit hôtel, mais n'a ni eau ni électricité. C'est à la lueur des bougies et au rythme des vagues que nous faisons l'amour pour la première fois. Mais d'abord, avec une lampe torche, Mao m'examine. Ses femmes sont excisées. Il n'a jamais vu de femme « entière ». Il semble fasciné, intimidé et un peu déconcerté. Ni ses yeux ni ses mains n'iront jamais plus vers cet endroit, c'est tabou ! Mais, même avec cette pudeur et son manque d'expérience, il s'avère être un excellent amant, très attentif, très intense, très patient et sensible à la moindre de mes réactions. Très fier aussi du plaisir qu'il me donne.

J'apprendrai plus tard, en posant des questions franchement, c'est plus fort que moi, à quel point je suis différente de ses autres épouses qu'il a connues vierges, donc totalement inexpérimentées. Elles n'éprouvent pas vraiment de plaisir à faire l'amour. Sauf celui de contenter leur mari et, surtout, de faire leur devoir conjugal. Est-ce ainsi pour toutes les femmes excisées ? Il l'ignore. Moi aussi, n'ayant jamais osé poser cette question, même à celles qui parlent anglais.

Vendredi. C'est le grand jour. Je porte mon beau boubou de basin rouge brodé or. Nous disons au revoir aux femmes et aux enfants, et nous nous rendons chez l'oncle Labaly où nous retrouvons les autres oncles et quelques cousins. Que des hommes ! Nous partons à la mosquée à pied, en cortège. Je porte des souliers à talons hauts. Ha ! ha ! ha ! Les rues ne sont pas pavées ; je m'enfonce dans le sable jusqu'aux chevilles. Il vaut mieux marcher pieds nus, un kilomètre ! Des enfants nous suivent en chahutant, ce qui ameute tous les gens qui habitent le long du parcours. Ils sortent à la porte de leur maison pour saluer la *toubab* qui va se marier. Plusieurs nous accompagnent jusqu'à l'entrée du terrain de la mosquée. Sur place, à part les hommes, il n'y a qu'une femme, une vieille, probablement l'épouse de l'imam. Les femmes non ménopausées n'entrent pas dans les mosquées, sauf s'il y a une pièce séparée, réservée spécialement pour elles. Nous restons dehors dans la cour, où l'on a sorti deux fauteuils. Je prends place avec mon Sambou de père.

Une trentaine d'hommes sont assis en cercle, par terre, sur des nattes. L'imam est l'un d'entre eux. Il est vêtu entièrement de blanc, il a dû faire le *hadj* (le pèlerinage à La Mecque). L'oncle de Mao parle à l'imam, puis à mon père ; mon père parle à l'imam puis à l'oncle de Mao qui parle à Mao, et ainsi de suite. Uniquement en mandingue, bien sûr. Ça dure plusieurs minutes. Personne ne me parle ni même ne me regarde. C'est bizarre de se sentir comme une intruse à son propre mariage ! Rituellement, les noix de kola que nous avons achetées sont distribuées par l'oncle de Mao aux gens de l'assemblée. Puis Mao paye la dot à mon père. L'équivalent de douze dollars. Je ne vaux pas cher, je suis vraiment une aubaine ! Les parents adoptifs de Mariatou ont reçu pour elle l'équivalent de cent vingt-cinq dollars. C'est payer cher la virginité ! Mais elle est aussi jeune, belle, sait faire à manger, laver le linge, travailler aux champs et, surtout, elle peut faire des enfants (on l'espère toujours).

Puis enfin, l'imam, traduit par l'oncle Sadio, me prévient que si j'ai quelque problème que ce soit avec mon mari, je dois aller tout de suite trouver mon père qui le règlera. Je dois aussi me convertir à l'islam dans les six mois. En principe !

Kissima, l'ami de Mao qui m'a accueillie à mon arrivée en Gambie, nous invite, Mao et moi, dans un restaurant « français » où nous sommes les seuls clients. En bons musulmans, ils ne boivent pas d'alcool. Je me tape un gros steak frites, accompagné d'une bouteille de rouge. On ne vend le vin ni au verre ni au carafon. Je suis vite passablement éméchée mais, comme mes deux compagnons ne connaissent pas l'effet de l'alcool, ils me croient simplement émue et heureuse. Ce que je suis aussi, d'ailleurs. Kissima nous donne ensuite les clefs de son appartement à Banjul pour que nous y passions notre nuit de noces. Douche, toilettes, eau chaude, électricité, ventilateur, frigo, gazinière, la totale! Mao m'offre un *djali-djali* (ceinture de perles de verre que les femmes portent à la taille, directement sur la peau). Il me recommande de ne jamais l'enlever et de ne permettre à aucun homme de le toucher. C'est pour lui très symbolique, un peu comme le serait un anneau nuptial. Je lui offre un de mes bracelets en argent que j'ai acheté à Dakar.

Après une deuxième nuit d'amour presque blanche, encore plus intense que la première, une domestique nous apporte le petit-déjeuner au lit: du café au lait et des tartines de... mayonnaise. On traîne au lit toute la matinée.

Mais j'ai envie de continuer à faire la fête, et surtout de partager notre bonheur avec le reste de la famille. Nous allons donc acheter trois poulets et tout ce qu'il faut pour faire un *mafé*: concentré de tomates, huile, pâte d'arachide, etc. Je ne suis pas une spécialiste de la cuisine gambienne, mais j'ai envie de jouer mon rôle d'épouse et de tenter de faire à manger. En arrivant à la concession, nous apportons les provisions derrière la maison, où se trouve l'espace cuisine. Mama Keba et Mariatou arrivent avec un sourire complice. Elles me font l'accolade et exécutent, en signe de respect, une génuflexion devant Mao. J'étale les denrées sur un plateau et demande couteau, cuillère, bols, faitouts, bref, tout l'attirail de la parfaite cuisinière. Je vais retirer mon boubou de mariage, enfile plutôt un jean et un t-shirt, et retourne à la cuisine. Je m'accroupis, les fesses posées sur un tabouret à dix centimètres du sol, les genoux écartés et, sous les regards approbateurs, commence à couper les oignons. Ça déclenche immédiatement chez moi un torrent de larmes brûlantes. Mao me prend couteau et oignon des mains, et continue le travail. Déjà qu'il ne devrait même pas être à la cuisine, qu'en plus il mette la main à la pâte, ça provoque chez mes coépouses (c'est facile à dire finalement) un fou rire incontrôlable. Il les engueule gentiment. Avec de l'aide de toutes parts, je réussis tout de même à créer quelque chose d'à peu près comestible. Mais que c'est long et compliqué! Il faut surveiller le feu continuellement et remuer la sauce pour éviter qu'elle ne colle; il fait chaud près du feu et il y a de la fumée. Ce n'est pas tout à fait comme de mettre un plat congelé dans le four à micro-ondes.

On laisse tout au chaud. Après la prière du crépuscule, j'allume plein de bougies que je dispose sur le muret tout le long du porche. On sort le *ghetto blaster*. Nous sommes une douzaine. Nous nous installons en petits groupes pour manger. On me dit que c'est très bon, j'en suis bien fière, puis les enfants se mettent à danser. Nous les rejoignons bientôt. Ils sont fous de joie. Ils m'appellent «Na» (maman) à tout propos. Ils trouvent surtout très drôle que leur père m'embrasse devant tout le monde, ce qu'ils n'ont jamais vu de leur vie, Mao étant très réservé avec ses femmes. Du moins, devant les gens.

Ce soir-là, nous dormons tous les deux dans mon lit. Ça me fait bizarre de dire bonsoir à tout le monde et de me retirer avec Mao, surtout devant ses femmes. Mais je suis la *magno*, la nouvelle épouse, la privilégiée, celle qui, en principe, est épousée par amour, choisie par l'homme lui-même et non par ses parents.

Après plusieurs jours d'exultation, le moment du départ arrive. Je dois rentrer à Montréal pour régler mes affaires et expliquer la situation à mes enfants. Tous les habitants de la concession sont tristes de me voir partir. Je suis aussi triste. Peut-être croient-ils que je ne reviendrai pas. Je rassure surtout les enfants. Je promets à Mao de le faire venir à Montréal dans environ deux mois. Il m'accompagne jusqu'à la frontière du Sénégal. Témoins de nos adieux plus que tendres, et déchirants, les douaniers sénégalais rigolent. Je laisse de l'argent à Mao pour qu'il fasse mettre l'électricité à la maison. Il n'aura qu'à faire brancher le compteur ; le câblage est déjà installé. Il est d'abord surpris, puis très content. Je veux bien vivre en Afrique, ce qui comporte de grands changements d'habitudes. Mais le plus dur pour moi, je m'en suis vite rendu compte, est de fonctionner et de dormir dans le noir et dans une pièce fermée, sans aération. Ça m'est foncièrement impossible.

L'annonce de mon mariage crée la surprise et l'incompréhension chez mes proches. Certains me jugent, me critiquent même, ouvertement. Ça me fait de la peine. Ce qu'ils ne comprennent pas, c'est que d'abord j'aime Mao et qu'ensuite j'aime l'idée de la polygamie, de la famille étendue. Moi qui ai toujours été d'une jalousie maladive, obsédée par l'idée que mon mari puisse me quitter un jour pour une femme plus jeune, maintenant je me sens rassurée. Car, à moins d'une énorme bêtise de ma part, Mao ne me quittera jamais. Une femme plus jeune que moi, il en a déjà deux. Je ne peux plus avoir d'enfants, elles en auront à ma place. Les tâches ménagères seront partagées. J'aurai mon mari deux jours et deux nuits avec moi. Je devrai lui faire de bons petits plats, laver ses vêtements, le masser, le recevoir dans mon lit. Puis, pendant quatre jours, je n'aurai aucune obligation envers lui, je pourrai m'enfermer chez moi, lire, écouter de la musique, manger ce que je veux, me coucher aussi tard que je le souhaiterai, je serai «en congé». Et je saurai toujours où il passe ses nuits et surtout avec qui !

Je n'éprouve aucune jalousie envers Mama Keba et Mariatou : elles étaient là avant moi et, de plus, la relation qu'elles ont avec Mao est très différente de celle que j'ai avec lui. Elles lui sont totalement soumises, elles le respectent, elles l'aiment sans doute à leur façon, mais je suis convaincue qu'elles ne sont pas amoureuses de lui comme, moi, je peux l'être. La notion d'amour romantique, telle que nous, Occidentaux, la connaissons, est généralement très loin des préoccupations d'une jeune villageoise gambienne ou camançaise, qui n'a jamais fréquenté de garçons, n'est jamais allée à l'école et pour qui, traditionnellement, les parents choisissent le mari. Ce qu'elle souhaitera, d'abord, c'est être mariée à un homme jeune et de belle apparence, si possible gagnant bien sa vie, qui lui fera des enfants dont il sera responsable et qui, surtout, ne la battra pas. S'il reste monogame, tant mieux : il y aura plus d'argent pour elle et ses enfants. S'il prend une, deux ou même trois autres épouses, la vie sera plus difficile financièrement, mais elle aura plus de temps libre et ne souffrira jamais de solitude. Ça, c'est certain !

L'éducation que les jeunes filles reçoivent de leurs parents et les exemples qu'elles ont sous les yeux depuis leur naissance les préparent à la polygamie. Pour elles, c'est normal et naturel. Ba Bunja a toujours été monogame, mais ses cinq frères sont polygames. Je leur ai souvent rendu visite ; les coépouses se comportent entre elles comme de vieilles copines. Elles vont au marché, aux baptêmes, aux enterrements ensemble. J'ai même eu l'impression, à plusieurs reprises, qu'elles sont plus proches les unes des autres qu'elles ne le sont de leur mari. Les enfants sont élevés ensemble par toutes les épouses à la fois. Ils ont plusieurs frères et sœurs, ils ne sont jamais isolés.

Je ne veux pas dire que c'est ainsi dans tous les foyers polygames. La vie des Dakarois, par exemple, n'est pas celle des villageois que j'ai connus en Gambie. Je m'en voudrais de généraliser. Je comprends très bien que certaines femmes africaines militent contre la polygamie et que cette coutume soit devenue illégale dans plusieurs pays. Cependant, la jeune femme analphabète, qui n'a aucune ressource financière personnelle, doit être épousée et prise en charge. Celle qui reste célibataire sera jugée indésirable sur tous les plans et sera très mal considérée.

Je défends le choix que j'ai fait, avec énergie et conviction. Certains prétendent me comprendre, surtout les hommes qui souhaiteraient vivre avec plusieurs femmes. Ils me posent quelquefois des questions très déplacées, avec une lueur égrillarde dans le regard. La polygamie n'est pas un idéal de vie, ni une partie de plaisir, bien au contraire ; dans plusieurs cas, ce serait plutôt une obligation comportant de lourdes charges pour l'homme. Bien sûr, dans certaines sociétés où les hommes sont bien nantis, il est très bien vu et même valorisant d'avoir plusieurs épouses ; ce ne sont nullement les exemples que j'ai connus.

Un voisin de Mao a le téléphone. Je peux donc téléphoner chez lui et lui demander de prévenir Mao que je l'appellerai tel jour à telle heure. Ainsi, nous nous tenons au courant des derniers événements. Après deux mois, comme promis, je lui envoie son billet d'avion. Je fais ensuite les démarches pour son visa de séjour auprès de l'ambassade du Canada à Dakar, puisqu'il n'y a pas de représentation canadienne en Gambie. J'ai affaire à une dame, absolument charmante, à qui je raconte mon histoire et qui m'arrange tout rapidement. Mao, qui n'a jamais voyagé, part de Gambie en taxi-brousse jusqu'à Dakar. Il doit ensuite se rendre à l'ambassade récupérer son visa, puis à l'aéroport où il prend le vol pour Montréal via Bruxelles. Il y a une escale de sept heures à Bruxelles. L'aéroport est immense. Mao ne parle pas français, son anglais est très approximatif et il ne sait pas lire. Paniqué à l'idée de manquer sa correspondance, il se colle à un Sénégalais qui doit prendre le même vol. Ils passeront la durée de l'escale à se promener, à causer et à se raconter leur vie. Cher Mao ! Il arrive crevé. Mais nous sommes si heureux de nous retrouver ! Comme sur un nuage. Beaucoup d'émotion. À peine sorti de l'aéroport, il est fortement impressionné par les grosses voitures américaines puis les grands édifices. Aussi heureux et emballé qu'il soit, il doit se reposer.

Après quelques heures de sommeil, nous allons rendre visite à son frère Omar, qu'il n'a pas vu depuis douze ans. Appartement convenable, sans plus, mais avec tout le confort nord-américain. Mao n'a jamais vu ça. Ce qui pour nous est le minimum vital, comme l'électricité, le téléphone, l'eau courante, la télévision, bref, tout ce à quoi nous sommes habitués, donne sûrement à Mao la fausse impression que son frère est millionnaire. Omar, à qui j'avais aussi, bien sûr, fait part de mon mariage, avait accueilli la nouvelle avec étonnement. C'est le moins que l'on puisse dire. Il m'avait plutôt imaginée épousant un Sénégalais ou un Malien. Un francophone. Mais en nous voyant ensemble, Mao et moi, il doit se rendre à l'évidence et se dire qu'il a devant lui un couple d'amoureux.

Quelques jours plus tard, j'organise un souper avec mes enfants. Ça se passe, ma foi, assez bien. Mon fils Dany nous prépare un excellent spaghetti. Mao n'en revient pas : un homme qui fait la cuisine quand il y a des femmes disponibles ?! Je le présente ensuite à ma sœur, à mon frère et à sa femme, à mes amis. Mao est d'une telle gentillesse et d'une telle simplicité qu'il séduit tout le monde. Nous allons plusieurs fois dans des buffets chinois, ses restaurants préférés. Manger à volonté, c'est une chose qu'il n'aurait jamais pu imaginer. Il adore se promener au centre-ville et dans les grands centres commerciaux. Il me dit qu'il aimerait bien rester à Montréal. Il ignore ce qu'est la vie d'un immigrant illettré, à quel point elle est difficile. Il ne s'est jamais retrouvé à six heures du matin, par une température de moins quarante degrés, au coin d'une rue, attendant l'autobus pour aller travailler dans une usine surchauffée produisant tant de décibels qu'ils vous rendent sourds.

Vient le temps de vendre ma voiture, qui était auparavant celle de ma sœur décédée. Je vends aussi le manteau de vison hérité de ma mère. Je donne tous mes autres vêtements d'hiver à qui les veut. C'est ma fille qui garde l'appartement que je partageais, d'ailleurs, avec elle. Je fais envoyer par cargo les choses qui me seront indispensables et qu'on ne trouve pas en Gambie. Je lui laisse tout le reste. Ça me rend triste et ça m'angoisse de laisser mes enfants. Mais ils sont majeurs et ont maintenant leur vie. J'ai la mienne. J'ai cinquante ans, et je ne peux pas ne pas vivre cette expérience unique qui s'offre à moi. Ce sera comme une réincarnation. Je leur promets d'essayer de venir en vacances le plus souvent possible, en été. Si les affaires marchent assez bien.

Nous atterrissons à Bruxelles, ville que je n'apprécie pas outre mesure ; nous n'y passons qu'une nuit. Le lendemain matin, nous prenons le train pour Anvers. Nous trouvons un hôtel pas trop cher à côté de la gare. Après avoir consulté l'annuaire téléphonique, nous devons visiter une demi-douzaine de garages spécialisés dans la vente de véhicules pour l'exportation. Toujours dans de lointaines banlieues, souvent en plein champ. C'est une des choses les plus pénibles que j'ai dû faire de toute ma vie. Les vendeurs ne semblent pas nous prendre au sérieux et sont même réticents à nous donner les renseignements que nous demandons. Ils se rendent bien compte que ni Mao ni moi n'y connaissons quoi que ce soit en la matière. Au bout de quatre jours de virées à gauche et à droite, de questionnements, de frustrations, avec un ras-le-bol profond, nous achetons un camion à benne 1964, de marque Mercedes. Il devrait, en principe, nous rendre millionnaires en transportant du sable et du gravier.

Dans un autre garage de voitures d'occasion aussi vendues pour l'exportation, c'est-à-dire sans taxe, nous achetons une Peugeot 304 cinq portes. Toujours après avoir consulté l'annuaire, nous nous rendons, un samedi matin, dans une rue où l'on trouve tous les appareils ménagers d'occasion possibles. J'y achète une gazinière, un frigo, deux télés, un magnétoscope et... deux kilos de chocolat. Nous devons passer par un courtier en transport maritime pour faire envoyer en Gambie, par cargo, le camion, la voiture et les marchandises achetées en Belgique auxquelles s'ajouteront celles venant de Montréal. Beaucoup de frais !

Je dois reconnaître qu'il est sûrement très frustrant et très difficile pour Mao, à Montréal comme en Belgique, de me voir prendre toutes les décisions, faire les achats, les démarches et les arrangements. Il n'a jamais auparavant été à la merci d'une femme. Pour lui, c'est la vie à l'envers. Son orgueil de mâle en prend un coup.

Pendant son séjour à l'étranger, Mao avait préféré envoyer femmes et enfants au village, chez ses parents. Nous nous retrouvons tous les deux seuls à Serrekunda avec sa sœur Maïmouna, son beau-frère Karamo et son cousin Niamo. Il redevient l'HOMME, le chef de famille, et semble rassuré de pouvoir de nouveau contrôler son univers. Je retrouve le Mao que j'ai connu et que j'aime.

Avant d'aller chercher la famille au village, nous devons attendre le cargo qui, en principe, doit arriver en Gambie dans deux semaines. Nous avons enregistré tous nos envois au nom du chef de police du district de Banjul-Serrekunda, ami de Mao, pour éviter de payer trop de taxes et avoir plus de facilité pour le dédouanement. Le bateau arrive enfin. Nous nous précipitons au port. Mais les conteneurs ne sont pas débarqués ce jour-là. Nous pouvons voir cependant nos deux véhicules qui, eux, ont été débarqués, enfermés derrière une grille cadenassée. Nous retournons au port le lendemain. Cette fois, les conteneurs ont été débarqués, mais n'ont pas encore été ouverts. Le nôtre contient les appareils ménagers emballés dans des caisses de bois, envoyés de Belgique, une grande malle et une petite caisse envoyées de Montréal. Dans ces dernières, il y a des fauteuils IKEA, des livres, des tableaux et des bibelots que j'ai depuis toujours, de la vaisselle, de la literie, des médicaments et un vélo. Il n'y a personne sur place, aujourd'hui, qui soit autorisé à ouvrir les conteneurs. Je dois paraître calme pour éviter que Mao ne s'énerve.

Le lendemain, nouvelle visite au port. Nous y allons avec l'oncle Labaly, qui conduira le camion. Tous les conteneurs ont été vidés. Nos affaires sont maintenant dans un grand entrepôt. Je les repère ; Mao cherche un douanier qui pourra les inspecter et nous faire signer les différents formulaires pour que nous puissions enfin les récupérer. Ils se renvoient tous la balle, font mine d'avoir autre chose à faire. N'importe qui peut circuler dans cet entrepôt où il n'y a aucune surveillance et où il fait aussi chaud que dans un sauna! Les minutes passent. J'essaie de rester calme, mais c'est bientôt l'heure de la prière et du repas du midi; le port sera donc fermé de treize à quinze heures. On nous demande de revenir plus tard, en fin d'après-midi. Alors là, je pète les plombs! Je me mets à gueuler et, de toutes mes forces, je donne un grand coup sur le banc où je suis assise. Je me luxe le coude (durant les deux semaines qui suivront, je ne pourrai même pas soulever ma tasse de café, encore moins plier le bras droit). Cependant, ma sortie a dû faire son effet car, par miracle, ils se mettent à quatre pour transporter les grosses caisses, la petite caisse et la malle dans le camion. Labaly, qui a de l'expérience en la matière, en deviendra le chauffeur attitré.

Le chef de police, que Mao a appelé à son bureau, vient nous rejoindre. Il arrange le dédouanement et la sortie du port en échange d'un «cadeau» de huit cents dollars, beaucoup moins que ce que nous aurions payé sans son aide. Une fois à la maison, en ouvrant la malle, je m'aperçois qu'il manque la boîte de médicaments, avec les seringues, les pansements, etc. Ça pourrait être pire!

Je peux enfin m'installer. Dans la première pièce, je mets la gazinière, le frigo, une table et une chaise que j'ai fait faire, mes deux fauteuils IKEA et la malle, qui servira de table pour la télé et le téléphone, que j'ai aussi fait installer. Je pourrais raconter quelques anecdotes au sujet du branchement de la ligne téléphonique; je me contenterai de dire que j'ai dû payer un poteau et des centaines de mètres de fil, me rendre plusieurs fois à la compagnie Gamtel, donner quelques *bakchichs* ici et là, et que deux semaines se sont écoulées avant que l'appareil puisse être fonctionnel. J'ai une ligne internationale, c'est-à-dire avec laquelle je peux faire des appels à l'étranger. Ce qui est beaucoup plus rare et coûte surtout beaucoup plus cher mensuellement.

Dans l'autre pièce, la chambre à coucher, le lit a maintenant son matelas en mousse recouvert de draps chinois roses, brodés de jolies fleurs de toutes les couleurs. Les caisses en bois, qui ont servi au transport des appareils achetés en Belgique, ont été transformées en penderie et en étagères, que j'ai peintes en noir. J'ai demandé à Cheik de me confectionner un couvre-lit et des rideaux assortis pour cacher les vêtements. C'est très joli, ça me plaît beaucoup. Que demander de plus? J'ai tout ce qu'il me faut.

Il est maintenant temps de partir pour Kamanka retrouver la famille. Nous apportons des cadeaux achetés à Montréal. Pour Ba Bunja : un tapis de prière, un chapelet musulman, un tableau représentant La Mecque, du tabac, une pipe et une canne. Pour Na Aminata : un grand sac de voyage, un parapluie, une couverture de laine, pour les nuits fraîches, et un châle. Pour chacune des coépouses : une chaîne plaquée or, un imperméable, un parapluie, une montre (même si elles ne savent pas lire l'heure) et du parfum. Pour les garçons : un jean, un blouson en denim, des baskets et un ballon de football. Pour Mamadou : une casquette des Expos et un *walkman*. Pour Fatou : une montre, un stylo doré orné de fausses pierreries, des cahiers, du vernis à ongles et des baskets. Ils sont tous très contents.

Mao retrouve ses autres épouses, qu'il n'a pas vues depuis deux mois. Elles s'approchent de lui lentement, sans aucun élan de tendresse. Ils se serrent la main, en regardant de côté, répétant ensemble le nom de famille de l'un et de l'autre et les innombrables salutations de politesse. Pas d'embrassade ni d'accolade, même pas de sourire de complicité. Bizarre ! Avec moi, que ce soit le matin en partant, ou surtout le soir en rentrant, Mao s'élance vers moi tout souriant, me serre dans ses bras en m'embrassant et ce, devant n'importe qui. Je crois cependant avoir compris pourquoi il se comporte de cette façon : le peu de connaissance qu'il a des femmes occidentales a été acquis par ce qu'il a vu au cinéma. C'est ce qui l'inspire et lui dicte sa conduite. Il sait d'instinct ce qu'il doit faire, quand, comment et pourquoi, pour me plaire. Il passe par-dessus les us et coutumes. Il a une grande faculté d'adaptation, doublée d'une intelligence très intuitive. Je l'adore !

J'ai remarqué, en arrivant au village, que l'os du bras droit de Lamine présente une étrange protubérance. Je m'informe auprès de son grand-père, qui me raconte comment le petit est tombé d'un manguier, se cassant le bras qui s'est mal ressoudé. Il semble, me dit-il, ressentir une douleur constante. J'ai peur que ça le handicape pour l'avenir ; il n'a que huit ans et des os très fins comme ses parents.

En arrivant à Serrekunda, je demande à Mao s'il me permet d'emmener l'enfant chez un médecin. Il accepte, mais à contrecœur, je le note. Le médecin que je vais voir est aussi directeur d'une clinique privée. Après avoir examiné Lamine, il me dit qu'il faudrait l'opérer pour recasser le radius et l'humérus, et qu'il devrait passer au moins quatre jours à l'hôpital. Il réfléchit et me dit que les frais seront de quatre cent cinquante dollars (j'ai traduit les dalasis en dollars). Ce n'est pas que ce soit cher pour une telle opération, comparativement à ce que cela coûterait à Montréal, mais est-ce que j'en ai vraiment les moyens ? Quel dilemme !

J'en parle à Mao. Il ne veut rien savoir, trouve même cela ridicule. C'est vrai qu'un tel montant représente environ ce qu'il gagne en six mois avec son taxi. Il me vante alors les mérites d'un guérisseur extraordinaire qui a de grands pouvoirs et qui habite à Serrekunda même. C'est à mon tour d'y aller à contrecœur, mais pourquoi pas ? N'ayons pas de préjugés ! Nous amenons Niamo, qui est aussi curieux que moi de voir le *local doctor* au travail. Je préfère, tout compte fait, rester dans la voiture. De la rue, je peux voir la maison de profil avec son porche, du toit duquel pendent des lanières de tissu, faites dans de vieux pagnes. Il y a un muret qui me cache Lamine, trop petit, mais pas les trois hommes. Après les avoir vus et entendus palabrer durant quelques minutes, je perçois la tension sur leur visage et j'entends alors un long cri déchirant. Puis, plus rien. Plus de cris, plus personne. Je sors de la voiture, me penche au-dessus du muret et je vois Lamine par terre, tenu par Mao et Niamo, pendant que le guérisseur lui installe autour du bras trois bouts de bois, maintenus par les fameuses lanières de tissu. L'enfant, qui s'était évanoui de douleur, reprend connaissance. Niamo le soulève et me le transporte jusqu'à la voiture. Je le prends dans mon giron; il est tout tremblant, en sueur, bref, en état de choc. La voix étranglée, je demande: «Qu'est-ce qu'on lui a fait?» Mao ne répond pas, il semble très nerveux. C'est Niamo qui me dit dans son anglais avec l'accent *british*: «Il a dû lui recasser les deux os et les rabouter.» À froid, à un enfant de huit ans, lui casser deux os! Pauvre petit! Ça m'arrache des larmes. Je suis horrifiée. Lamine lève la tête et me regarde avec de grands yeux, tout étonné de me voir dans cet état. Pour le consoler, je lui promets un vélo. Il arrive presque à me sourire.

Une fois à la maison, nous nous installons sous le porche devant chez les femmes. J'installe le petit garçon sur une natte avec un de mes oreillers, je l'enroule dans une couverture et lui donne deux cachets d'aspirine dissous dans de l'eau sucrée. Je m'assois par terre à ses côtés et lui caresse les cheveux en lui chantant des berceuses en français. Sa mère, Mama Keba, nous regarde en souriant et prend place de l'autre côté. Mao a l'air épuisé, comme s'il partageait la douleur de son fils, mais quand celui-ci geint ou semble vouloir pleurer, il lui assène des coups de balai sur les jambes en l'engueulant. Il lui dit, je suppose, qu'un garçon ne doit pas pleurer, que c'est bon pour les filles. Je lui demande d'être un peu plus compréhensif. Je suis certaine que si c'était lui, l'éclopé, il ferait tout un cinéma, sans témoin, bien sûr, pour ne pas avoir l'air d'une mauviette. Il m'avouera plus tard avoir été vraiment malheureux de voir son fils dans cet état, mais avoir dû le contrôler pour éviter qu'il ne perde la face et qu'on ne se moque de lui plus tard.

C'est bientôt l'heure du repas du soir et de la prière. Je fais transporter Lamine, qui ne veut rien manger, dans mon lit. De toute manière, je dors seule; Mao passera les deux prochains jours chez Mama Keba. Je lis, Lamine endormi à mes côtés. J'entends les autres qui veillent dehors. Je remarque, tout à coup, que la main de l'enfant ressemble à un gant de boxe. Elle a doublé de volume. On ne distingue plus les os des jointures, la peau est cireuse et froide, les doigts sont boudinés et ne plient plus. L'attelle est tellement serrée que le sang ne circule absolument plus. Je sors chercher Mao, qui vient voir son fils, me dit de ne pas m'inquiéter et m'assure que tout est normal. Je voudrais relâcher un peu le tissu; il me l'interdit. «Cela enlèverait les pouvoirs du guérisseur», m'affirme-t-il. Je lui parle de gangrène, de risques d'amputation. Le ton monte. Niamo vient voir pourquoi nous parlons si fort. Je lui fais part de mes craintes. Il est d'accord avec moi. Il explique la situation à Mao, en mandingue pour qu'il comprenne bien. Devant son obstination, petit à petit, je redeviens Louise. Je le préviens que s'il ne ramène pas son fils chez le guérisseur tout de suite, je fais mes bagages et je m'en vais. À ce moment-là, je suis sérieuse ; je le pense vraiment. C'est le premier VRAI choc culturel que je ressens.

De guerre lasse, Mao ramène Lamine chez le vieux qui relâche un peu le bandage. Au retour, la main a dégonflé, elle est tiède et a presque repris une apparence normale. Je redonne de l'aspirine à Lamine et souhaite bonne nuit à Mao en l'embrassant et en lui demandant de me pardonner d'avoir crié. Je m'endors à côté du petit garçon qui, le pauvre, fait un énorme pipi au lit. Le lendemain, il va déjà beaucoup mieux. Je continue à lui donner de l'aspirine et je mets son bras en écharpe avec un de mes foulards. Trois semaines plus tard, l'attelle enlevée, le bras est un peu plus mince, mais les os ont repris leur place. Nous devons alors le masser avec de la graisse de crocodile. Cette guérison, que je trouve quand même incroyable, aura coûté l'équivalent de deux dollars quarante.

1. D'Jembereng.

2. Réception à l'arrivée à Kamanka devant chez Ba Bunja.

3. Quelques enfants de Kamanka.

4. Niamo et Charlie.

5. Maritou et Mama Keba tenant Aisatou.

6. Maritou dans la cuisine.

7. Lamine au bras cassé.

8. Lamine et Bunama partent à l'école.

9. Vue des porches.

10. Construction de la maison.

11. La voiture se noie.

12. Mao et le maire de Kamanka.

13. C'est l'endroit où se tenait le voleur.

14. Mariage.

Je partage maintenant mon mari régulièrement depuis deux mois. Deux jours pour chacune de nous et, le septième, Mao ne se repose pas, ne le passe pas seul, non, le cycle recommence. J'avais quand même un peu peur d'éprouver un tantinet de jalousie. Mais non, pas du tout. Curieusement, la seule fois où j'ai eu un tout petit pincement au cœur, c'est en revenant un jour de la plage, lorsque j'ai trouvé Mao et Mama Keba, assis ensemble sous le porche, en train de jouer au Ludo, un jeu de société. Je me suis dit : « Ils sont de la même race ! Ils parlent la même langue ! Ils ont tout en commun ! » Je me suis tout à coup, pour un bref instant, sentie vraiment étrangère. Ridicule !

Tous les matins, après le départ de Mao pour le travail, je sors m'asseoir avec mon café. Il ne fait pas trop chaud, c'est agréable. À cette heure-là, Maïmouna est déjà en train de balayer devant chez elle, aidée par Néné, une fillette de Kamanka qui a été envoyée chez ma belle-sœur pour l'aider et pour apprendre son « métier » de femme. La petite asperge le sol pour empêcher la poussière de voler partout. « *Mata, issama ? – Maïmouna, issama.* » « Ça va ? – Oui, ça va. Et toi, ça va ? »

C'est tout ce qu'elle connaît en français. Nous nous faisons ensuite une génuflexion, comme les épouses le font devant leur mari tous les matins, et éclatons de rire. C'est devenu un rite. La pauvre est mariée depuis cinq ans, comme Mariatou, et n'a toujours pas d'enfant. Elle a vu plusieurs marabouts, sorciers, féticheurs, guérisseurs en Gambie et même en Casamance. Ça n'a rien changé. Avant de partir pour Montréal, ayant été mise au courant de la situation, je lui avais laissé un montant d'argent suffisant pour payer une consultation avec l'unique gynécologue de la région. Tout est normal, selon lui. Par la suite, en discutant un jour avec Niamo, j'ai appris que ma belle-sœur s'est fait avorter étant plus jeune. Est-ce ça qui l'a rendue stérile ?

Il est à peine huit heures. La température est encore supportable. Nous sommes en septembre ; c'est toujours la saison des pluies, mais plus pour très longtemps. Tant mieux, car c'est très dur physiquement. Le moindre geste demande un effort. Bien sûr, la nature est plus belle, plus verte.

Dans un état de semi-torpeur, je suis assise avec mon café à la porte de chez moi. Mao vient de partir travailler. Mama Keba et Mariatou sont allées à la pompe chercher l'eau. Elles m'ont laissé la garde des enfants qui, à peine leur père parti, sont venus se coucher dans mon lit. Ils dorment encore. La pompe étant à plus d'un kilomètre, elles ne seront de retour que dans une heure environ, à cause de la queue qu'il faut y faire, beau temps, mauvais temps. Chacune doit ramener deux seaux, dont un porté sur la tête. Et ce, deux fois par jour, souvent trois. C'est le travail des femmes, entraînées depuis leur plus jeune âge.

À peine arrivée, décidée à m'intégrer le plus rapidement possible et pour « devenir » vraiment Africaine, je me suis fait refaire mes tresses et j'ai commandé à Cheik, qui travaille dans la rue sous un arbre, une garde-robe de vêtements typiquement africains. J'ai même commencé à apprendre le mandingue, une langue dont le débit est très rapide, sans aucun point de repère. Le mot « *djio* », qui veut dire « eau », est un des premiers que j'ai appris. Toujours dans le même esprit d'intégration, dès la première semaine, j'ai insisté un matin pour aller avec Maïmouna à la pompe chercher la *djio*. Je n'ai pris qu'un seau, dont je me servirais pour prendre mon bain au retour. De me retrouver là, à faire la queue avec une quarantaine de femmes qui examinaient la *toubab* que je suis en souriant un peu ironiquement, a été une expérience assez humiliante. Car, quand est venu mon tour de pomper, un peu moins rapidement que les autres, bien sûr, j'ai quand même réussi à remplir mon seau, pour ensuite me rendre compte que je pouvais à peine le soulever. Ne voulant pas montrer ma déconfiture, j'ai pris une grande inspiration, j'ai attrapé le seau courageusement et je me suis mise en marche. J'ai dû m'arrêter tous les vingt pas, poser le seau, le changer de main. Maïmouna m'encourageait en se moquant gentiment de moi. En nage et à bout de souffle, les yeux me sortant presque de la tête, j'ai décidé de ne jamais y retourner, prétextant que je préférais rester avec les enfants.

Depuis ce jour, je rétribue un jeune voisin qui m'apporte le matin les deux seaux dont j'ai besoin quotidiennement. Il y retourne l'après-midi, chercher celui pour le bain de Mao. De cette façon, mes coépouses en ont moins à transporter. Même si, pour les Africaines, il est plus facile de porter de tels poids, puisqu'elles en ont l'habitude depuis leur plus jeune âge, ça reste quand même une corvée. Inutile de penser y aller en voiture ; la route est en si mauvais état que les seaux seraient vides à l'arrivée. L'idéal serait d'avoir l'eau à la maison.

Je me rappelle de ce jour-là, à moitié endormie, quand la porte s'ouvre en grinçant (nous la laissons grincer exprès, ainsi nous sommes prévenus quand quelqu'un arrive). Entrent d'abord Mama Keba, puis Mariatou qui semble particulièrement éreintée. Elles me sourient tout de même en prononçant mon nom, comme le veut la coutume, et entrent chez elles pour déposer leurs charges. Mama Keba ressort bientôt en s'éventant. Elle me tend un gobelet : « Djio, Mata ? » J'accepte avec plaisir car c'est le seul moment où l'eau est vraiment fraîche, presque glacée ; elle a un goût très pur, mais elle se réchauffe très vite. Je lui rends le gobelet en la remerciant. Mariatou sort à son tour et vient vers nous en titubant, se tenant le ventre à deux mains, courbée, grimaçant et gémissant de douleur. Je me lève rapidement et remarque qu'elle a laissé derrière elle une longue traînée de sang. Je savais qu'elle était enceinte, sans savoir exactement de combien de mois. Cinq, six ? Comme elle est bien en chair et porte des vêtements plutôt amples, c'est difficile à savoir. Elle parle à Mama Keba et à Maïmouna qui semblent déconcertées. La voyant grelotter malgré la chaleur, j'entre chercher mon couvre-lit dans lequel je l'enveloppe. Je fais démarrer la voiture et, avec l'aide de Mama Keba, je l'installe sur la banquette arrière. Elle est maintenant presque inconsciente. Je demande à Maïmouna de m'accompagner.

Comme il a plu toute la nuit, les routes de terre sont inondées, défoncées, l'eau montant à certains endroits jusqu'aux essieux. Je conduis lentement, mais je ne peux éviter les mouvements de roulis et de tangage. Nous arrivons enfin à l'hôpital en klaxonnant sans interruption, si bien que deux infirmiers sortent rapidement et transportent Mariatou, maintenant évanouie, à l'intérieur. Je demande à Maïmouna de m'attendre à la porte pendant que je vais garer la voiture.

Je remarque que le couvre-lit, resté sur la banquette, est complètement taché de sang. Je retrouve ma belle-sœur et nous entrons dans l'hôpital. On nous interdit d'entrer dans la salle d'examens. L'odeur est insupportable : un mélange de vomi, d'urine, de sueur, d'éther, de désinfectant, tout ça accentué par la chaleur et le manque d'air. Je choisis d'attendre dehors ; j'entraîne Maï. Il y a au moins une centaine de personnes, malades et accompagnateurs, qui attendent leur tour avec calme et résignation. Je n'ai pas leur patience et, après ce qui m'a semblé une éternité, je vois sortir un médecin qui me fait signe d'approcher. C'est un Indien ou un Pakistanais d'un certain âge qui m'annonce sans ménagement que « ma bonne » a perdu son bébé, qu'elle est très affaiblie parce qu'elle a perdu beaucoup de sang, et qu'ils doivent la garder pour un curetage. Il n'y a cependant rien à craindre pour sa vie. Elle pourra sortir dans trois ou quatre jours. Je lui dis, en prenant un ton hautain, qu'elle n'est pas ma bonne mais ma coépouse, et je lui recommande de faire tout ce qu'il peut pour la soigner et la soulager. Le médecin, que je vois rougir sous son teint cuivré, me demande de bien vouloir l'excuser pour sa méprise. C'est la première fois, dit-il, qu'il voit une Blanche mariée avec un polygame.

Durant le trajet de retour, je me sens triste, révoltée, choquée, catastrophée, même un peu coupable. Quelle est la cause ou plutôt quelles sont les causes de cette fausse couche ? Les carences en vitamines, les vomissements répétés dus à la grossesse, les tâches ménagères toujours exécutées en position courbée, mais surtout les charges d'eau que Mariatou doit transporter, même enceinte. Inutile de penser à la remplacer ; par fierté, elle refuserait, soutenant que c'est son rôle et sa responsabilité. Pauvre Mariatou, sa première grossesse ! Mao a fait brancher l'électricité, ce qui m'avait semblé primordial et indispensable. Je me disais qu'au moins nous pourrions tous dormir confortablement par cette chaleur étouffante. J'ai acheté des ventilateurs pour toutes les chambres. Mais l'eau ? Si j'avais insisté un peu, Mao aurait sûrement accepté de faire les démarches pour que nous ayons l'eau courante dans la concession. Comme il n'a pas les moyens, il a été admis dès le début que je prendrais à ma charge tout ce dont j'aurais besoin pour mon propre confort et ma qualité de vie. Pourtant, le jour où j'ai mentionné l'eau, il m'a répondu que c'était inutile, qu'ils avaient l'habitude de vivre de cette façon et que je pouvais continuer à faire transporter mon eau par le jeune voisin. Je n'ai pas osé insister. Mais, maintenant, j'aurai peut-être l'argument pour le convaincre. J'ai vu un robinet chez le voisin d'à côté. Il y a donc des tuyaux dans la rue. Il serait sans doute possible de les prolonger jusqu'à notre terrain.

Une fois à la maison, Maïmouna explique à Mama Keba ce qui s'est passé. J'attends impatiemment le retour de Mao, cette fois bien déterminée. Dès son arrivée, nous lui apprenons la mauvaise nouvelle. Il serre les lèvres, ferme ses yeux embués, murmure une prière en arabe et semble se soumettre, disant que c'était la volonté d'Allah! Il a vu tant de femmes de son entourage, mère, sœurs, tantes, cousines, perdre leur bébé, soit par fausse couche, à la naissance ou dans la petite enfance, que c'est une fatalité à laquelle tous sont malheureusement habitués. Je le laisse faire ses ablutions et sa quatrième prière, puis doucement je lui fais part de mon souhait de faire installer l'eau, lui expliquant que ce serait bien pour tout le monde. «C'est vraiment ce que tu veux, Mata?» Oui, Mao, c'est ce que je veux.

Le lendemain matin, Mao se fait remplacer au boulot et les tuyaux sont achetés. Puis, avec l'aide de quelques cousins et du voisin qui a le robinet chez lui, les tranchées sont creusées. Le deuxième jour, les connexions sont faites et nous sommes inscrits à la compagnie qui vient installer le compteur. Bien sûr, il y a encore eu *bakchichs* par-ci par-là, mais c'est le résultat qui importe et il a été particulièrement rapide. J'ai apporté à manger à Mariatou tous les midis, nous lui avons rendu visite tous les soirs, sans rien lui dire. Lorsque, après trois jours à l'hôpital, nous la ramenons enfin à la maison, nous la conduisons à l'arrière et, là, comme une fleur sortie de terre, il y a un magnifique robinet tout brillant, surmonté d'une poignée rouge du plus bel effet. Le pourtour a été cimenté et tous les seaux et bassines de la maison y sont posés, attendant d'être remplis. Il y en a quelques nouveaux, ce sont les miens.

Les enfants accourent, curieux de voir la réaction de Mariatou. Bientôt, voyant son grand sourire, ils se mettent à danser et à chanter en tapant d'abord dans leurs mains, puis sur des seaux renversés. Les voisins, toujours à l'affût de quelque événement sortant de l'ordinaire, viennent se joindre à nous.

C'est fou! Ce que nous tenons, nous, Occidentaux, pour acquis est réellement un privilège qui n'est accordé qu'à une minorité d'individus sur terre. Pour nous, l'eau est partout à notre portée, sans limites, nous en usons et, même, en abusons, sans trop réfléchir. Peut-être n'aurons-nous jamais à marcher des kilomètres pour nous procurer cette précieuse ressource naturelle. Nous ne mourrons sans doute jamais de maladies causées par une eau contaminée. Quoique... En sommes-nous vraiment certains? Ce moment d'allégresse vécu avec ces gens que j'aime restera pour moi inoubliable.

Le magnétoscope a été installé chez les femmes, branché à l'une des deux télévisions. L'autre télé est chez moi. La Gambie n'ayant pas de chaîne locale, nous ne pouvons regarder que la télé sénégalaise. Mais comme c'est la saison des pluies, nous ne captons rien du tout, car il y a trop d'humidité et d'électricité dans l'air pour que les ondes parviennent jusqu'à nous. L'unique divertissement est donc de faire jouer des cassettes vidéo. Je me suis abonnée à un club de location qui appartient à un Libanais, pour lequel travaille une mulâtresse anglaise de Liverpool, avec laquelle j'ai souvent de longues discussions. J'essaie toujours de louer quelque chose qui puisse être apprécié de tous. Les films de commandos, de kung-fu, de bagarres en général sont ceux qui ont le plus de succès.

Presque tous les soirs, vers vingt heures, nous installons la télé et le magnétoscope sur une table, sous le porche. Arrivent alors des gens, qui viennent sans invitation, prévenus, croyons-nous, par un ami de Lamine qui fait la réclame dans tout le voisinage. Une cinquantaine d'hommes, de femmes et d'enfants s'installent alors par terre, sur des nattes qu'ils ont apportées, en rangs bien serrés, sous le vol des chauves-souris. Ils attendent impatiemment le début de la séance. Comme la grande majorité d'entre eux ne comprennent pas l'anglais, ils sont très réceptifs aux images de combats, de poursuites d'automobiles et d'action en général. Il faut que ça bouge ! Ils crient, applaudissent, protestent, bref, participent comme s'ils y étaient. Quand il y a des scènes d'amour, des gens qui s'embrassent, ils s'écroulent de rire en huant. J'ai loué un jour un film inspiré de la vie du docteur Norman Bethune, avec en vedette Donald Sutherland. Dix minutes après le début, Mao ronflait et la cour s'était vidée.

C'est bientôt la rentrée des classes. Lamine et Bunama ne sont jamais encore allés à l'école. Mao semble croire que ce n'est pas indispensable, puisque son ami Kissima n'a fréquenté que l'école coranique et qu'il se débrouille très bien dans la vie. C'est ce qu'il souhaite pour ses fils. Il déplore pourtant le fait que Ba Bunja y ait envoyé Omar et Mamadou et pas lui, l'aîné. Et puis, il y a les uniformes et le matériel scolaire à acheter. Cela fait beaucoup de frais. Le taxi est loué à un copain et coûte plus cher en réparations que ce qu'il rapporte. Le camion roule. L'oncle Labaly le conduit et Mao fait les contacts au « garage » : un grand terrain où sont parqués des dizaines de camions avec chauffeur dont les gens louent les services. Le nôtre sert à transporter du sable qui, mêlé à du ciment et à de l'eau, sert à faire des blocs pour la construction. La plage où les camions sont chargés se trouve à dix kilomètres du garage. La route qui y mène est comme une planche à laver à cause de cette circulation. Alors, les pneus crèvent ; les amortisseurs, les essieux et le levier de changement de vitesse cassent ; il y a souvent un problème. Mais les bonnes journées, sans ennuis mécaniques, ce commerce est très lucratif. Je donne un salaire à l'oncle, à Mao et à un apprenti, et il me reste assez pour payer l'électricité, l'eau, les dépenses de la voiture et les repas « gastronomiques » que je fais quand ce sont mes deux jours. Je peux bien payer aussi la scolarité de Lamine et de Bunama, bien sûr avec l'approbation de Mao.

J'inscris les deux garçons dans une école maternelle privée où ils sont placés dans la même classe. Les uniformes sont très coquets et ils sont vraiment mignons, le matin, quand ils partent à l'école, tout sérieux, avec leur sac à dos. Pour le petit-déjeuner, je leur achète souvent, au coin de la rue, des *m'buro-soço*, c'est-à-dire une demi-baguette remplie de sauce à l'oignon et à la tomate, cuits dans l'huile de palme. Ils en raffolent, surtout avec un soda à l'orange. Mais j'insiste pour qu'ils prennent plutôt un verre de lait. Les premiers jours, je les accompagne à l'école en voiture. Mais très vite, ils s'y rendent seuls à pied. L'école n'est qu'à une quinzaine de minutes de marche. Mama Keba est ravie que je m'occupe si bien de ses fils. Elle les voit heureux et en bonne santé; pour elle, c'est ce qui compte. Qu'ils s'attachent à moi, qu'ils soient souvent avec moi pour faire leurs devoirs, ou pour aller à la plage, ça ne lui pose aucun problème. Je m'en suis assurée auprès de Niamo, qui me sert toujours d'interprète et d'intermédiaire, c'est ce qu'elle lui a affirmé.

Ma vie prend son rythme. Je lis beaucoup, j'écris à mes enfants, à mes amis. Je reste souvent à ne rien faire, assise sous le porche, me contentant d'être là. Je vais au marché ou dans un des trois supermarchés qui sont modernes et où l'on trouve de tout, importé de partout dans le monde. Je peux donc acheter du beurre de Hollande, des yogourts de France, des soupes des U.S.A., des poulets et des filets mignons surgelés d'Angleterre, des pâtes d'Italie, etc. De plus, ces magasins sont climatisés. Niamo, que Mao m'a assigné comme garde du corps, et moi y restons des heures, tellement il fait bon : vingt-deux degrés au lieu des quarante à l'extérieur. Nous traînons, faisons le tour des allées tranquillement, regardons les étiquettes sur les produits, comparons les prix. Les employés ne sont pas dupes et savent très bien pourquoi nous sommes là mais, comme je suis une très bonne cliente, ils ne disent rien. Nous allons quelquefois à la plage avec les garçons après l'école. Ils ne connaissaient pas la mer, mais s'y sont sentis rapidement comme dans leur élément et se sont tout de suite mis à nager sous l'eau comme des poissons.

J'y ai aussi emmené Mama Keba, Mariatou et Maïmouna, qui n'avaient jamais, elles non plus, vu la mer. Il y a très peu de Gambiens sur les plages, à part les vendeuses de fruits ou d'arachides et les jeunes hommes qui viennent pour jouer au foot. C'était incongru de voir les trois femmes parmi les touristes blondes, huilées, en bikini sans le haut, étalées sur leur serviette, souvent dans des positions tout à fait ridicules et inconvenantes pour les Gambiens. Je me suis aussi mise en maillot, un peu mal à l'aise. Seule Maïmouna a eu le courage de relever son pagne jusqu'aux cuisses et de s'avancer avec moi dans l'eau jusqu'à la taille, pour être bientôt renversée par une vague et retourner vers les autres en riant, histoire de se donner une contenance. C'est la plus aventureuse et la plus marrante de la famille. Des trois femmes de la maison, c'est avec elle que je communique le plus facilement. Elle parle toujours très fort et s'amuse de tout. Je crois qu'elle est heureuse avec son gros Karamo, même s'ils n'ont pas d'enfant.

À une autre occasion, nous sommes retournées à la plage et, cette fois, j'ai emmené ma belle-mère, qui était en visite à la maison. J'ai tenté de lui expliquer que, très loin, de l'autre côté de l'océan, il y a le Canada où habite son fils Omar. Mais c'est difficile à expliquer car elle croit, comme plusieurs, que la Terre est plate. J'ai déjà eu une grande discussion avec Mao à ce sujet. Il croit que la Terre est posée sur quelque chose, qu'elle est le centre de l'univers et que le Soleil, la Lune et les étoiles tournent autour. À l'aide d'oranges, Niamo et moi avons essayé de lui faire comprendre ce qu'il en est vraiment. Mao est devenu tellement angoissé quand il a imaginé la Terre flottant ainsi dans l'air sans soutien que nous avons préféré laisser tomber nos explications. Il a alors dit, sarcastique, que c'était comme cette histoire d'hommes qui étaient censés être allés sur la Lune : des inventions de *toubabs*. Il est têtu comme une mule !

J'ai essayé une fois, mais je n'arrive pas à bien faire la lessive à la main. Alors, je donne mes vêtements à laver, ainsi que ceux que Mao utilise pendant mes deux jours, à la voisine du coin de la rue, la femme de Cheik, le tailleur sénégalais. Elle parle un peu français. Elle est très amicale avec moi, me fait la bise. En fait, elle est aussi contente de gagner quelques sous que moi de me débarrasser de cette pénible tâche. Elle fait aussi le repassage, avec un fer rempli de charbons incandescents. Tout doit être repassé, même les petites culottes, sinon gare aux *mango flies*.

Ces mouches, dont j'ignore le nom en français, pondent leurs œufs sur les vêtements mouillés ou humides étendus dehors. S'ils ne sont pas exterminés par le fer à repasser, lorsqu'on porte ces vêtements, ils éclosent sur notre peau et le *maggot*, larve genre asticot, pénètre dans le derme, où il se nourrit, croît et gigote. Ce qui procure à son hôte un chatouillement et une démangeaison presque insupportables. Mao en a un jour eu trois dans le dos. Quand il m'a dit ce que c'était, je ne l'ai pas cru. À première vue, on croirait voir des furoncles. Il faut pincer la peau très fort pour les extirper. J'ai essayé avec ceux de Mao mais, avec mes longs ongles, j'ai eu peur de lui faire mal. C'est Karamo qui l'a finalement soulagé. Ils sont venus tous les deux me montrer à quoi les asticots ressemblent. Ils sont blancs et ont la taille et l'apparence d'un grain de riz. Quelque temps après, j'en ai moi-même eu un, près du coccyx. J'ai couru chez un médecin, qui a dû faire une incision pour le sortir. C'est répugnant !

Pourtant, à cause de la chaleur, de la lenteur de tout, du sentiment de fatalité contagieux qui a fini par m'envahir, mais surtout à cause des problèmes beaucoup plus graves que je vois partout autour, j'ai fini par trouver normales des choses que je n'aurais jamais imaginé voir et encore moins vivre.

Les bestioles, dans les pays tropicaux, il faut faire avec. J'ai cependant eu un peu de mal à m'habituer à certaines d'entre elles. Un soir, au moment où les hommes venaient de s'installer pour la prière, j'ai vu sur le mur, juste au-dessus du lit, une énorme araignée, qui ressemblait étrangement à l'idée que je me faisais d'une tarentule. Morte de peur, affolée, j'ai hurlé et je suis sortie en courant. Les hommes de la maison prient toujours sous le porche devant chez Karamo, tournés vers chez moi, regardant vers La Mecque qui se trouve aussi dans cette direction. Je me suis retrouvée, complètement hystérique, devant, en plus des hommes de la maison, quelques amis et voisins venus passer la soirée. J'ai tenté d'expliquer mon problème. Mao, n'écoutant que son courage, a envoyé Niamo voir ce qui se passait exactement. Le grand froussard, pas rassuré du tout, est ressorti chercher une de ses chaussures pour revenir tuer le monstre. Ça a fait un tel « splash » que j'ai dû repeindre le mur.

Nous avons eu un nid de souris, sous le lit, creusé dans le ciment. En faisant l'amour, il est très déconcentrant d'entendre des grattements directement sous nos têtes. Nous avons dû les empoisonner et éviter qu'elles ne sortent pour boire de l'eau, sinon le poison est inefficace. J'ai vu, entre autres horreurs, des serpents gros et petits, des varans du Nil d'au moins un mètre et demi, des scolopendres, des dizaines de sortes d'araignées, des fourmis qui arrachent la peau et qui créent une démangeaison si forte que l'on ne peut s'empêcher de se gratter, si bien que la piqûre s'infecte (dix jours d'antibiotiques). Il y a aussi des lézards de toutes les tailles et de toutes les couleurs, des termites qui arrivent à une certaine époque de l'année, le soir, par millions. Ces fourmis ailées entrent dans les maisons, tournoient autour des ampoules électriques, puis tombent sur le sol où elles perdent leurs ailes. Si elles sont dans la nature à ce moment-là, elles construisent des colonnes de boue, que l'on appelle «termitières», qui leur servent de maisons et qui peuvent mesurer plusieurs mètres de hauteur. Elles peuvent également faire des ravages dans les meubles en bois, dans les livres qu'elles traversent de part en part et même dans les charpentes des maisons.

Mon beau-frère, Mamadou, a capturé pour moi un petit singe vervet à Kamanka. Il m'a fait parvenir un message pour me l'annoncer et me demander d'aller le chercher le plus vite possible. Je suis folle de joie. Les singes m'ont toujours fascinée. Bien sûr, j'aurais préféré un chimpanzé mais il n'y en a plus en Gambie, sauf dans une réserve. Je pars le lendemain avec Niamo pour le récupérer. Il a été attaché, par une corde passée autour de sa taille, à un piquet de clôture derrière ma maison au village. C'est un bébé, il mesure à peine une quinzaine de centimètres. Je fonds en le voyant. Sa fourrure est beige sur le corps, noire sur la queue et sur les membres, qu'il a très longs, et sur la face. Cette face, qui rappelle certains beaux masques africains, a un tout petit nez, une bouche aux lèvres minces très mobiles et des yeux extrêmement expressifs. Pour l'instant, c'est de la terreur que j'y lis. La corde a irrité la chair de sa taille jusqu'au sang. Je m'approche, lui parle doucement, lui tends la main, dans laquelle j'ai mis une arachide. Il est d'abord très méfiant, tente de fuir, pousse des cris de frayeur à fendre l'âme, puis prend vite l'arachide qu'il décortique habilement, me surveillant du coin de l'œil. Il la garde dans ses bajoues, se doutant que j'en ai d'autres dans mon sac. Je reste là, subjuguée. Je lui en donne, une à une, une dizaine qu'il finit par avaler.

Je tiens à retourner le jour même à Serrekunda. Je veux mettre mon petit singe en sécurité. Après avoir dit au revoir à mes beaux-parents et remercié Mamadou, je vais le détacher. Je le prends dans mes mains, il me mord, mais pas fort. Je l'installe à l'arrière de la voiture, avec la corde tenue par une grosse pierre, et lui donne une poignée d'arachides pour la route. Je m'arrête à quelques reprises pour lui donner de l'eau et m'assurer qu'il est bien. J'arrive à la maison au coucher du soleil. Mao est rentré du travail, les enfants de l'école; c'est donc tout un comité d'accueil qui est là pour nous. Je sors le petit singe de la voiture ; il saute aussitôt sur mon épaule. Il regarde autour, terrorisé, et si l'on fait mine de l'approcher, il crie, montre les dents et menace de mordre. De toute manière, personne ne se sent assez brave. Tant mieux, c'est MON singe.

Je rentre seule chez moi, ferme la porte et entreprends de soigner sa blessure avec de la ouate et du peroxyde coupé d'eau. Le tenant sur mes genoux, je baigne la plaie, en lui parlant tout bas, en le rassurant, comme on fait avec les petits enfants malades. Il ne proteste pas trop, sentant sûrement que je ne veux que son bien. Je ressors dire bonsoir à tout le monde et, comme ce sont les deux jours de Mariatou, je dors seule. Je suis fatiguée du voyage et j'ai envie d'apprivoiser mon charmant petit singe. Je sais qu'il sera très choyé, c'est pourquoi je choisis de l'appeler Prince, prononcé, pays oblige, à l'anglaise.

Sans entraves, il saute allègrement d'un meuble à l'autre, fait le tour de l'appartement en reconnaissance et choisit finalement de se percher sur le dossier d'une chaise au pied du lit. Je me fais un sandwich accompagné d'un verre de lait. Je lui en verse dans une soucoupe et il lape sans problème, puis nous partageons une orange. Je ne tarde pas à découvrir qu'il aime tout ce que je lui donne comme fruits et légumes, mais qu'il a un faible pour les morceaux de sucre. Il joue tous les matins à essayer d'ouvrir la boîte de métal dans laquelle je les conserve. Il est tellement drôle !

Il ne se laisse jamais approcher par les autres habitants de la concession, encore moins par les étrangers. Il tolère Mao et Niamo dans la maison, mais reste loin d'eux. Quant à Mamadou, à peine entend-il sa voix à l'entrée du terrain qu'il se cache au fond de l'armoire, derrière les vêtements. Il le déteste. Après une semaine, guéri, bien apprivoisé, familiarisé avec son environnement, mon petit Prince ose sortir. D'abord toujours grimpé sur mon épaule et finalement seul. Il se promène sur le mur entre les tessons, grimpe aux arbres, puis va jusqu'au manguier. Il l'adopte et prend l'habitude d'y dormir. Il me quitte au crépuscule, après la séance d'épuçage. Je dois cependant l'accompagner jusqu'au pied du manguier et attendre qu'il soit monté assez haut pour retourner à la maison. Il revient à l'aube en entrant par la fenêtre de la chambre, que j'ouvre après la première prière.

Quand je suis à la maison, il passe la journée avec moi. Il grignote, vide la boîte de mouchoirs en papier qu'il met en morceaux, joue avec sa balle, vole mon paquet de cigarettes pour les casser une à une et les éparpiller dans toute la maison. Il déteste la fumée. Il peut créer beaucoup de désordre en peu de temps. Nous avons aussi un jeu qui me fait rire aux larmes : assise au bord du lit, genoux écartés, je fais comme un sac avec mon boubou. Il saute dedans, je referme le tissu et le coince. Il doit trouver l'espace par où sortir. Ce jeu peut durer des heures !

J'ai aussi deux petits perroquets verts. Quand ils sortent de leur cage, comme ils ne peuvent pas voler, ayant les ailes en partie coupées, Prince leur court après, les attrape et les écrase au sol. Les cris de ces pauvres oiseaux ne le dérangent nullement. Les morsures un peu quand même. Il sera mordu à plusieurs reprises avant de comprendre et de les laisser tranquilles.

Un jour, un voisin nous donne un chiot jaune à poil plutôt ras, le classique chien des pays tropicaux. Prince et Doggy (je suis décidément douée pour baptiser mes animaux) se mesurent pendant quelques jours. Le singe et le chien sont reconnus comme étant des ennemis héréditaires. Dans les villages, ce sont les chiens qui surveillent les récoltes et les potagers, en interdisant ainsi l'accès aux singes. Mais comme ils sont tous les deux bébés, Prince et Doggy s'habituent bientôt l'un à l'autre. Dès lors, ce ne sont que cavalcades à n'en plus finir : le chien courant de tous côtés en aboyant, le singe sautant sur tout ce qui est surélevé, en le narguant et en poussant ses petits couinements aigus. C'est la foire ! À l'heure de la sieste, Prince se couche derrière mon cou et Doggy à côté du lit. Peu à peu, ils en viennent à se toucher, Prince sautant sur le dos du chien et dormant même quelquefois la tête sur son ventre, entre ses pattes. Ils sont incroyables ! Tellement touchants ! Personne n'a jamais vu ça. J'aurais tant voulu les immortaliser, mais je n'ai plus de caméra vidéo ni d'appareil photo. Ils ont été volés pendant le séjour de ma fille en Gambie.

Ma fille Olivia (que j'ai toujours appelée « ma puce ») et sa copine Annabelle sont venues passer les vacances de Noël en Gambie. Un soir, nous sortons toutes les trois, sans homme et sans voiture, sachant que nous rentrerons joyeusement pompettes. Après avoir dîné dans un excellent restaurant indien où nous avons bu une bouteille de vin, nous continuons la soirée dans la boîte de nuit d'un hôtel. Que de la musique américaine et britannique ; je ne danse donc pas. Mais comme Olivia et Annabelle sont parties danser en laissant leurs sacs à main sur la table, ayant peur d'avoir une distraction, je mets le portefeuille de ma fille dans mon sac, pour éviter qu'on ne le lui vole. Vers trois heures du matin, épuisées mais ravies de notre soirée, nous rentrons à la maison en taxi. La nuit, il y a une astuce pour ouvrir la porte de la concession. Je l'ouvre avant que le taxi ne soit reparti.

Les filles occupent la chambre de Niamo qui dort avec les garçons à côté. J'ai acheté, pour l'occasion, un matelas en mousse qui remplace la paillasse (au diable l'exotisme), mais qui est posé directement sur le sol. Bisous, bisous et elles vont se coucher. J'entre chez moi en catimini pour ne pas réveiller Mao, ouvre le volet de la pièce de devant, me déshabille et me couche tout doucement. Je m'endors sur-le-champ, hypnotisée par le ventilateur qui ronronne à pleine puissance. Tout à coup, je sens une présence dans la pièce. J'ouvre les yeux et distingue vaguement un homme, vêtu de couleur pâle, à environ un mètre du pied du lit. Debout devant l'armoire où nous pendons nos vêtements et sur laquelle y a un miroir, il s'y regarde. C'est Mao qui se prépare à partir travailler, pensé-je. Tout ça dans un brouillard éthylique. Je n'ai pas vraiment envie de lui parler dans cet état, alors je fais comme si de rien n'était. Je referme les yeux et me rendors en me demandant pourquoi il est déjà prêt à partir, si tôt et sans avoir prié. Un peu plus tard, en changeant de position, je vois Mao couché à mes côtés. Le croyant déjà parti, je regarde l'heure : cinq heures trente. Alors là, je ne comprends plus. Pourquoi était-il habillé tout à l'heure ?

Je me lève et je remarque que, bizarrement, la porte de la maison est grande ouverte. Zut ! j'ai oublié de la fermer, me dis-je. Je passe de la chambre à la cuisine-salon pour la refermer. Je vois le grillage de la fenêtre, qui se trouve juste à côté de la porte et dont j'avais laissé le volet ouvert, lacéré. Je regarde autour, plus de télé ! Les fils, dont ceux qui la reliaient à l'antenne sur le toit, sont coupés. C'est à peine l'aube, mais je peux voir la portière de la voiture du voisin, qui la gare chez nous pour plus de sécurité, ouverte, son autoradio arrachée. Notre Peugeot semble intacte. Je rentre, allume les lumières, vais dans la chambre, regarde sur les deux armoires. Il manque mon appareil photo, ma caméra vidéo, ma radiocassette et mon sac à main. Il contenait, entre autres, mon portefeuille avec mon permis de conduire gambien et quelques centaines de dalasis, celui d'Olivia avec cent dollars américains, ses cartes d'assurance sociale, d'assurance-maladie, d'université, etc. S'y trouvaient aussi les clefs des trois appartements de la concession et quelques accessoires de maquillage.

Je suis atterrée. Je me laisse pesamment tomber sur le lit, ce qui réveille Mao. « Qu'est-ce qu'il y a, Mata ? » Je sais que je vais me faire engueuler, que la première chose qu'il me dira sera : « Je t'ai déjà dit, plusieurs fois, de ne pas laisser le volet ouvert la nuit. » Quelle idée aussi de mettre une fenêtre collée à une porte ! Le voleur n'a eu qu'à utiliser un couteau pour fendre la moustiquaire, passer la main pour atteindre le loquet, et ouvrir. Un jeu d'enfant ! Je lui raconte ce que j'ai vu plus tôt avant de me lever, l'homme que j'ai aperçu au pied du lit et que je croyais être lui. Je réalise subitement que, en croyant voir Mao, si j'avais bougé un tant soit peu, avais parlé ou montré que j'étais réveillée, je l'aurais alors réveillé, il aurait crié, le voleur se sentant coincé aurait paniqué, ils se seraient battus, il y aurait eu des coups de couteau et il en serait fait de nous. Nous serions morts !

Je vais voir les filles. Personne n'était encore éveillé, mais bientôt tout le monde est dehors. Je leur raconte ce qui s'est passé. Je dois aussi avouer à Olivia qu'elle n'a plus de porte-feuille. Oh! le regard déçu qu'elle me lance! La pauvre, je la comprends, les cent dollars américains étaient tout l'argent qu'elle possédait. Heureusement, les passeports étaient en lieu sûr. Nous tombons d'accord toutes les trois pour dire que le coupable est sûrement le chauffeur de taxi. Comment était-il? Et sa voiture? Quelle marque? Quelle couleur? Ah! les méfaits de l'alcool! Amnésie totale! Je rassure Olivia au sujet des sous, je les remplacerai, c'est bien le moins que je puisse faire.

La nouvelle se répand dans le voisinage; la concession est bientôt envahie de curieux, à qui Mao relate les événements en précisant chaque fois: «Mata avait laissé le volet ouvert.» Mea-culpa! On nous recommande d'aller voir un marabout qui pourrait, peut-être, nous donner des renseignements au sujet du cambriolage. Nous y allons, Mao, Niamo et moi. Les filles préfèrent partir à la plage. J'aurais bien aimé y aller aussi, mais mon mari tient à ce que je l'accompagne. Le marabout est très vieux; on le trouve assis par terre, sur une peau de chèvre, entouré de fioles, de sachets, de gris-gris, de cauris, etc. Nous nous asseyons en face de lui. Mao lui explique le problème. Le vieil homme écoute sans interrompre, puis pose quelques questions, médite et nous annonce que le voleur n'était pas seul. Que lui et son complice sont partis en voiture en direction de Banjul et que nous retrouverons le portefeuille de ma fille, mais rien d'autre. Mieux que rien! Je reste quand même sceptique. Il nous fait ensuite priser, à tour de rôle, une poudre grise et nous recommande d'en faire brûler, dès notre retour à la maison, avec du sucre et du sel. Nous devons aussi acheter du lait et le distribuer à des enfants pauvres. La poudre ne tarde pas à provoquer une série d'éternuements qui dureront jusqu'au soir. Nous faisons scrupuleusement tout ce que le marabout nous a demandé de faire et attendons. Le lendemain, un voisin nous rapporte le portefeuille d'Olivia, trouvé dans une fosse, tout sale, mais contenant tous ses papiers sauf, bien sûr, les dollars. C'est fort quand même!

Nous avons projeté, Olivia, Annabelle et moi, depuis longtemps, d'aller en Casamance en passant par Kamanka, pour qu'elles voient ce qu'est un vrai village gambien et qu'elles rencontrent mes beaux-parents. Mao ne veut absolument pas que nous partions seules. Il a raison : un groupe d'indépendantistes revendique la séparation de la Casamance du reste du Sénégal. Des pêcheurs «nordistes» ont été tués et il y a eu plusieurs émeutes dernièrement. L'Europe n'y envoie plus de touristes, la zone étant considérée comme très dangereuse. La frontière est à environ quarante-cinq minutes de Serrekunda et à une trentaine de minutes de Kamanka. C'est, paraît-il, une région magnifique, très verte, avec des plantations d'agrumes, d'avocatiers, de manguiers, de papayers, et autres, ainsi que des rizières à perte de vue. Étant pour la plupart scolarisés, du moins jusqu'au secondaire, les gens parlent français.

Mao me donne finalement la permission d'y aller à condition que Niamo nous accompagne et que Mamadou se joigne à nous à partir de Kamanka. Une fois de plus, je trouve étrange de voir mes deux mondes se côtoyer. Un peu comme si deux négatifs avaient été développés en superposé. Deux vies, deux «moi», à la fois Louise et Fatoumata. Difficile à conjuguer ! Les deux filles sont très à l'aise ! Elles trouvent tout très sympathique, très intéressant et aussi très propre. C'est vrai qu'à part les excréments d'animaux, il n'y a rien par terre, aucun déchet, aucune saleté. Rien n'est perdu, tout est recyclé.

Le soir, la veille de notre départ, un gros feu a été allumé autour duquel sont assis une trentaine d'enfants qui étudient le Coran. Ils psalmodient en chœur. C'est hallucinant de voir tous ces petits visages noirs, inspirés, à la lueur des flammes. Comme ils sont fiers d'être aussi savants ! Nous restons dehors jusque tard dans la nuit, à boire du thé et à nous raconter des histoires. Nous partons assez tôt le lendemain matin, tous les cinq.

Les quatre jeunes s'entendent à merveille. Nous écoutons des cassettes de reggae et de Phil Collins que nous connaissons tous et nous chantons à tue-tête. À la frontière, les douaniers sénégalais sont étonnés : trois Québécoises francophones, deux Gambiens anglophones, dans une voiture qui est immatriculée en Gambie et qui m'appartient, un passeport à mon nom canadien, mais mon permis de conduire, l'immatriculation et les assurances de la voiture au nom de « Louise-Fatoumata » Girardin avec le patronyme de mon mari. Ils n'ont jamais vu ça. Ils me parlent en mandingue pour me tester. Comme ils me posent des questions assez simples, je peux y répondre. Ils rigolent, nous souhaitent bonne chance et nous conseillent d'être prudents. Nous sommes à environ deux cents kilomètres à l'intérieur des terres et nous devons retourner vers la côte pour visiter Ziguinchor, le Cap Skirring et D'jembereng.

Il fait chaud, et la route, pourtant pavée, n'est pas très bonne. Je roule doucement pour ménager la voiture et pour bien voir le paysage. Bientôt, je remarque que la température de l'eau est très élevée, une lumière rouge s'allume. Cela arrive fréquemment. Nous devons nous arrêter pour mettre de l'eau dans le radiateur. J'avais prévu deux jerrycans, donc pas de problème. De la frontière Gambie-Casamance jusqu'à Ziguinchor, nous sommes arrêtés une dizaine de fois par des barrages de soldats du nord du Sénégal. Ils font des contrôles d'identité. Ils sont gentils, polis, mais eux aussi sont étonnés par notre quintette. Je trouve toujours très impressionnant d'avoir affaire à des hommes armés de mitraillettes. Manque d'habitude, peut-être ?

Une fois à Ziguinchor, nous allons au marché. On n'y voit aucun touriste, que des gens de l'endroit. Nous avons vu très peu de taxis-brousse ou de camions sur la route. C'est là que je me rends vraiment compte de la gravité de la situation politique. Nous achetons quelques fruits, des tissus et de très beaux masques, que nous vend un vieil antiquaire, à prix sacrifié. Faute de tourisme, ceux qui en vivaient sont presque dans la misère. En retournant à la voiture, on voit une mare en dessous. Le radiateur est donc percé ? Les jeunes hommes qui se sont regroupés autour me disent avoir trouvé le problème qui, selon eux, peut être réglé très facilement. L'un d'eux me demande quelques pièces pour aller acheter du tabac qui servira, dit-il, à boucher le trou. Nous sommes au pays de la débrouille! Il revient bientôt et, en deux minutes, c'est réparé. Ça marche! L'eau ne coule plus. Il m'assure que sa réparation tiendra des centaines de kilomètres. Je lui demande de nous suggérer un petit hôtel pour la nuit; il me répond que tous, ou presque, sont fermés faute de clients et me conseille une petite auberge, tenue par des Français, Le Perroquet.

Heureuse surprise, l'auberge en question se trouve en pleine ville, mais au bord du fleuve Casamance. Une maison principale, où se trouvent l'appartement des propriétaires, la cuisine et le bureau. Le bar et la salle à manger sont en plein air, surplombant le fleuve. Au milieu du terrain, il y a une grande pelouse parsemée de bosquets de fleurs et, autour, une douzaine de petites cases. C'est ravissant et pas cher du tout. Nous sommes les seuls clients. Nous dînons à la française, de poissons grillés, servis avec des frites et une salade, et d'une tartelette aux fruits pour dessert. Un festin! Le tout arrosé d'une bouteille de blanc. Niamo et Mamadou en prennent un verre chacun, mais, n'ayant pas l'habitude de boire de l'alcool, ils sont un peu gris. Ils se promettent mutuellement de n'en parler à personne, car c'est interdit par le Coran. Après avoir fait des blagues et ri pour tout et rien, ils deviennent somnolents et souhaitent aller se coucher. Il n'est que vingt heures, mais nous les imitons bientôt.

Après le petit-déjeuner, composé de café et de croissants, nous visitons un peu Ziguinchor. On y voit des maisons de style colonial assez impressionnantes; c'est une très jolie ville. Puis nous partons vers le Cap Skirring, le site touristique par excellence de la Casamance. Le patron du Perroquet nous a donné la carte commerciale du seul campement qui soit encore ouvert; tous les grands hôtels, comme le Méridien, le Club Med et autres, sont fermés. Un campement, c'est une petite entreprise, souvent familiale, où l'on loue des chambres très bon marché. Certaines avec toilettes et douche, d'autres avec ces commodités à l'extérieur. Elles ne sont meublées, généralement, que d'un grand lit recouvert d'un drap et d'une moustiquaire, sans oreiller ni couverture. Il n'y a ni savon, ni papier hygiénique, ni serviette.

J'ai apporté tout ça de Gambie en prévision de l'arrêt à Kamanka. Quelle bonne inspiration!

Les propriétaires du campement, l'Auberge de la Paix, sont de l'ethnie diola, âgés d'une quarantaine d'années, très sympathiques et très hospitaliers. Nous sommes, encore une fois, les seuls clients. Nous demandons s'il est possible d'avoir des langoustes pour le repas du soir. Ils nous les promettent. Le campement est situé en haut d'une petite falaise. Un escalier, d'une cinquantaine de marches, rejoint la plage. Cette dernière est magnifique, complètement déserte (à part quelques vaches); les vagues sont juste de la hauteur qu'il faut. Nous y passons l'après-midi. Nous allons marcher et nous constatons qu'effectivement tous les hôtels sont fermés, abandonnés. C'est triste! Pourtant, je n'ai jamais vu un aussi bel endroit. De la salle à manger, qui est construite tout au bord de la falaise, la vue est imprenable. Nous prenons l'apéro en regardant le soleil se coucher sur la mer. C'est le paradis! Pendant le succulent repas de langoustes grillées au beurre à l'ail, la maman se joint à nous pour causer, et nous apprenons qu'ils ont un fils qui étudie au Québec. Petite et merveilleuse francophonie!

Après avoir dormi, bercés par le bruit des vagues et le bourdonnement des moustiques, nous sommes en forme pour une excursion en pirogue sur le fleuve Casamance. Petit-déjeuner expédié, piroguier trouvé par un des fils des proprios, nous négocions le prix de la balade et nous partons. Quelle beauté, ce fleuve avec ses îlots couverts de fleurs et d'oiseaux de toutes sortes! Nous débarquons dans un petit village isolé qui n'est atteignable que par le fleuve. Il n'y a pas un bruit, sauf celui des poules, des cochons et des chèvres. Olivia et surtout Annabelle sont séduites par un chevreau nouveau-né qui peut à peine se tenir sur ses pattes. Elles le prennent dans leurs bras, à tour de rôle. Les habitants du village sont animistes et ils font du vin de palme. On goûte, c'est spécial, un peu aigre-doux mais très buvable. Pour les encourager, nous décidons d'en acheter deux litres. On nous trouve des bouteilles vides, on y verse la boisson conservée dans une jarre de terre cuite et on les bouche avec de vieux bouts de tissu. Pour l'hygiène, on repassera! Nous buvons une bouteille le soir même. L'autre sera bue en Gambie, la veille du départ des filles. Personne n'a été malade!

D'jembereng est à quelque quinze kilomètres du Cap. C'est un village traditionnel, près de la mer. Il est vanté et recommandé par les guides touristiques pour sa beauté et son authenticité. On n'y voit rien de moderne. Les cases rondes sont faites de terre cuite, couvertes de toits de paille. Comme à Kamanka, il n'y a pas de rue, ni d'ordre précis. Nous nous promenons tranquillement, en visitant. Même s'il n'y a pour l'instant aucun touriste, les gens du village ont l'habitude des étrangers. On nous indique une case où il y a un tronc d'arbre évidé, sur lequel on tape avec des bouts de bois pour communiquer avec les villages avoisinants. La plupart des femmes ne portent qu'un pagne et vont seins nus. Il n'y a pas d'électricité, sauf dans un campement près de la plage où il y a une génératrice. Officiellement, les habitants de ce village sont catholiques comme la majorité des Diolas et portent des noms typiquement français. Je demande à une petite fille comment elle s'appelle; elle me répond : « Émilienne. » Quand on a l'habitude de ne côtoyer que des gens qui portent des noms musulmans, c'est surprenant. Ce village est tellement spécial, intemporel, que je dois me pincer pour croire que j'y suis vraiment et me dire intérieurement : « JE SUIS EN AFRIQUE ! » Comme je le fais souvent dans mes moments de cafard. C'est automatique : je souris et retrouve ma bonne humeur.

Un jeune homme, qui parle très bien français, nous emboîte le pas pour nous parler de son village. Comme je le complimente sur sa façon de parler notre langue, il nous dit que les enfants de la région vont d'abord à l'école primaire dans leur village, puis à Ziguinchor, au collège des Frères du Sacré-Cœur du Québec, pour le secondaire. De tous les Africains de l'Ouest, les Casamançais sont sûrement ceux qui connaissent le mieux le Québec. Nous en éprouvons une certaine fierté.

Au retour, à environ un kilomètre du Cap Skirring, je vois un chemin qui va vers la mer. Avec l'accord des autres, je décide de m'y engager en voiture. La végétation est très dense. Des arbustes épineux égratignent la carrosserie de chaque côté. Au bout : la plage et une petite maison moderne, en dur, visiblement inhabitée. Elle appartient sans doute à des Français qui ne viennent qu'en vacances, ou qui sont rentrés en France à cause des problèmes politiques. La marée est basse. Je roule jusqu'sur le sable dur où je laisse la voiture, nez vers le large. Olivia et Annabelle décident de se baigner. Je pars avec Niamo et Mamadou dans la direction opposée au Cap. Pas un chat, ni une vache sur la plage. On ne voit aucune habitation ni dans une direction ni dans l'autre ; les hôtels du Cap sont construits de plain-pied et enfouis sous les arbres. Il y a une légère brise, il fait très bon, le soleil ne tape pas trop fort. On marche... On marche...

Au bout d'un moment, je me retourne pour voir si les filles sont toujours dans l'eau. Je les aperçois, même si nous sommes maintenant assez loin. Je vois la voiture qui, par une illusion d'optique, semble aussi être dans l'eau. J'en fais la remarque aux garçons. Nous réalisons, tous les trois en même temps, que ce n'est pas une illusion d'optique : la marée est en train de monter et la voiture EST vraiment dans l'eau. Course folle ! L'eau est déjà à la moitié des roues. Je fais démarrer le moteur, passe en marche arrière pour reculer et me sortir de là ; la voiture ne bouge pas. J'essaie de me servir de mon expérience de conductrice dans la neige. Ça n'a vraiment rien à voir. Niamo et Mamadou vont chercher une énorme branche d'arbre avec laquelle ils tentent de faire un palan. Ça ne sert tout au plus qu'à enfoncer les roues avant encore davantage. Je klaxonne à deux mains pour attirer l'attention des filles, mais, à cause du bruit des vagues, elles n'entendent pas. Les garçons se mettent à l'avant de la voiture pour la pousser. Rien à faire ! À chaque vague, elle s'enfonce de plus en plus, le ressac creusant des trous autour des roues. Mamadou va finalement chercher les filles qui reviennent en courant et, voyant la situation, repartent, toujours en courant, en direction du Cap. Les garçons essaient de tirer, de pousser, de lever... Rien ! Nous nous sentons tellement impuissants !

Bientôt, au loin, nous voyons arriver une camionnette, avec deux hommes à l'avant et cinq autres sur le plateau à l'arrière, avec les filles. Ils descendent tous, neuf hommes entourent bientôt la Peugeot. Ils la poussent, ils la soulèvent, ils la tirent et hop ! Finalement, ils la sortent. Il était temps, l'eau était déjà à l'intérieur, presque au niveau des sièges. J'ai eu une de ces frousses ! Je m'imaginais retournant à la maison en taxi-brousse et apprenant à Mao que la voiture s'était noyée !

Le propriétaire de la camionnette est livreur de poisson ; les autres sont pêcheurs, selon ce que je comprends. Ils nous demandent si nous serons au Cap ce soir. Bien sûr ! Ils nous proposent alors d'organiser un repas sur la plage : ils feront un feu pour griller des poissons et puis, si nous voulons, viendront aussi un joueur de kora et des joueurs de tam-tam. Wow! Nous sommes emballés. Je donne un certain montant d'argent pour couvrir la moitié des frais et nous convenons de nous retrouver sur la plage, devant notre campement, à dix-neuf heures. Nous repartons, après avoir écopé une partie de l'eau, mais les tapis sont trempés. Une fois au campement, nous les retirons pour les rincer et les étendre au soleil et, avec des serviettes et des torchons empruntés à madame Djédiou, nous tentons d'éponger le reste. En m'écoutant raconter l'anecdote, les propriétaires, d'abord incrédules, s'écroulent finalement de rire. Du coup, je ris aussi, mais un peu jaune.

Je leur fais part de l'invitation que nous avons reçue pour ce soir. Ils disent : « Très bien, très bien », tout en souhaitant sans doute intérieurement que je ne me sois pas fait arnaquer. Petit repos bien mérité dans les hamacs, puis douche, et nous sommes prêts à descendre sur la plage.

Il y a un feu, un faitout de riz déjà cuit et des poissons baignant dans une marinade d'huile, d'oignons, de jus de citron et de piments. Il y a aussi des bouteilles de *cana* (alcool de canne à sucre), mélangé à du *bissap* (jus de fleurs d'hibiscus). La *cana* est de fabrication domestique et illégale, apportée de Guinée-Bissau, le pays voisin, dont la frontière est à dix kilomètres. Les jeunes hommes qui nous ont invités sont très fiers d'en avoir trouvé, car le vieux qui le vend ne vient au Cap que tous les trois jours.

Les musiciens arrivent ensemble : un joueur de kora et trois joueurs de tam-tam. Nous nous présentons les uns aux autres. Je constate que ce sont de vrais griots, d'après leur nom de famille (Cissoko, Diabaté et Kouyaté), typique de cette caste. Les langues de communication sont le français et le mandingue avec les musiciens, et le français seulement avec le cuisinier et son copain qui sont des Diolas catholiques. Au moins, Niamo et Mamadou peuvent discuter avec les musiciens.

Les poissons sont embrochés pour griller au-dessus du feu. Pas d'assiettes ni de couverts. Une fois cuits, ils nous sont servis sur du papier journal. Nous mangeons le riz « à la main », comme on dit au Sénégal, directement du faitout. Les boissons sont bues au goulot. Mamadou et Niamo s'abstiennent devant les musiciens musulmans qui font de même. Je partage donc une bouteille avec Olivia et Annabelle ; l'autre est pour les Diolas. C'est un alcool très doux qui se laisse boire. Dommage qu'il ne soit pas glacé ; tiède, c'est un peu écœurant. Par contre, les poissons sont délicieux, sans trop d'arêtes, la peau bien croustillante. Nous allons nous rincer les mains dans la mer, puis les musiciens, qui ont partagé notre repas, commencent à jouer. D'abord les tam-tams seuls, puis la kora seule, puis tous ensemble, en chantant. L'alcool aidant, la pudeur s'éclipse et nous nous levons pour danser pieds nus dans le sable maintenant tiède. Nous voyons bientôt arriver les fils Djédiou et leurs copains. Que des garçons. On tape des mains, on chante en chœur, on se défoule.

Bientôt, une odeur que je connais bien vient me chatouiller le nez, et ce qu'ils appellent un pétard, comme en France, passe de main en main. Il y a des lustres que je n'ai pas fumé mais, ce soir, ça me tente. Je sais que ma fille, qui a quand même dix-huit ans, fume à l'occasion. Ça ne m'étonne donc pas de les voir, elle et Annabelle, tirer sur la « cigarette ». Même chose pour Niamo. Mamadou, lui, essaie pour la première fois. Il s'étouffe, classique. Serait-il exagéré de préciser qu'en plus de tout ça, il y a un magnifique clair de lune ? Quelle soirée extraordinaire ! Le lendemain matin, je ne me souviens cependant pas d'avoir monté les quelques douzaines de marches jusqu'à notre chambre. L'aube nous trouve, les filles et moi, affalées sur nos lits, encore habillées et les pieds pleins de sable. Même avec la gueule de bois, il faut retourner en Gambie. Mamadou vient avec nous à Serrekunda ; nous n'avons donc pas à passer par Kamanka. Huit heures de route de moins. Nous arrivons à destination en trois heures et trente minutes.

Quelques jours de visites, de plage, de repos, et je raccompagne les filles à Dakar, seule cette fois. Nous visitons la ville et ses alentours. Nous allons à l'île de Gorée, qui est l'endroit d'où partaient les navires négriers remplis d'esclaves, vers l'Amérique. Ça me touche à en pleurer. Les vacances s'achèvent, c'est le départ. Ma puce s'en va. Je crois que cette période passée ensemble nous a rapprochées encore plus. Je l'ai vue comme une adulte, une complice, une amie. Si seulement mes fils, Antoine et Dany, pouvaient venir aussi ! Je crois que ça leur plairait autant qu'à Olivia. C'est simple, je voudrais avoir tous les gens que j'aime avec moi. Retour à Serrekunda. Louise redevient Fatoumata à part entière.

La chambre à peine libérée par les filles sera occupée par un oncle de Mao, Malang. C'est un des frères cadets de Ba Bunja. Comme lui et comme Mao, il a épousé une Casamançaise mais, contrairement aux autres, il a décidé de s'installer en Casamance. Il vient cependant régulièrement en Gambie pour voir la famille. Je l'ai déjà rencontré. C'est un homme charmant qui parle assez bien français. Il est handicapé, ayant souffert de la polio étant enfant. Il boite, mais se déplace facilement, même en vélo. Je suis à peine revenue de Dakar qu'un cousin de Mao, Lamine, fils de Labaly, vient nous prévenir que Malang est chez eux, très malade. Ils ne savent pas trop ce qu'il a. Il est arrivé de Casamance il y a deux jours ; il fait de la fièvre, tousse beaucoup et crache du sang. Il est alité et très affaibli. Il est venu chez son frère, qui habite tout près de l'hôpital indien où j'avais emmené Mariatou, dans le but d'aller y consulter un médecin. Mais faute d'argent, ou pour je ne sais quelle raison, ils l'ont plutôt gardé à la maison, lui donnant une potion locale, qui jusqu'à maintenant n'a eu aucun effet. Mao et moi nous y rendons illico. Les deux femmes et les enfants de Labaly sont assis dehors, la mine basse.

Nous entrons dans la chambre sombre, volet fermé, où nous trouvons le pauvre Malang, veillé par deux de ses frères éplorés. Je prends la main du malade. Brûlante. Je prononce son nom, lui dis qui je suis, lui parlant français. Il ouvre les yeux, me fait un sourire, me répond faiblement : « Bonjour, Mata. » Je lui demande comment il se sent (question stupide, je vois bien qu'il se sent très mal), s'il a mangé dernièrement ; il me répond qu'il n'a rien avalé depuis qu'il est parti de chez lui. Plus de quarante-huit heures. Il a refusé la nourriture qu'on lui a présentée qui, me dit-il, était très huileuse et lui donnait la nausée. J'envoie un enfant à la *bitik* du coin chercher deux œufs durs, une demi-baguette et deux Fanta. Malang, soutenu par ses frères, s'assoit sur le lit et mange avec de plus en plus d'appétit. Il ne tarde pas à retrouver un peu de force et à se sentir mieux. Sa belle voix grave est maintenant plus audible. Je suis contente. Je lui suggère de venir avec nous à l'hôpital. Il accepte, soulagé. Mao l'invite aussi à venir habiter chez nous, le temps de se remettre. Il sait que la maison de Labaly est déjà remplie par sa famille et que, même si personne ne l'admettrait jamais, le malade gêne un peu. Nous ramassons ses quelques affaires et nous partons.

L'hôpital est bondé. Il y a en plus une centaine de personnes dehors, installées par terre, attendant d'être appelées. Supportant l'oncle, nous nous rendons d'abord à une table placée sous un arbre, où un préposé nous demande quel est le problème, juge de la gravité de l'état du malade et inscrit son nom dans un cahier sur la page de gauche ou celle de droite : urgent, pas urgent. Il nous dit de nous asseoir ; il nous appellera quand ce sera notre tour. Dans combien de temps ? Dans une heure environ, répond-il, pour nous encourager. Nous retournons lentement vers la voiture, qui est la seule devant l'hôpital, et attendons. Malang a l'air d'aller beaucoup mieux : on s'occupe de lui, il se passe enfin quelque chose, la situation évolue, alors il est rassuré. Il m'avoue avoir déjà souffert de tuberculose, il y a une dizaine d'années. Il a peur que ce soit une rechute.

Nous sommes enfin appelés. Je suis le porte-parole de notre petit trio, Malang et Mao ne parlant pas suffisamment anglais et le médecin ne parlant pas mandingue. J'explique ce que j'ai constaté : la fièvre, la toux, les crachats ensanglantés. Je lui dis que le malade craint que ce soit la tuberculose, qu'il a déjà eue dans le passé. Tout de suite, on l'emmène pour une radiographie et le diagnostic est confirmé. Le médecin me la montre ; il y a une grande tache sur le poumon droit. « C'est grave, mais avec un traitement approprié il peut s'en sortir, il n'est pas trop tard », me dit-il.

Il nous envoie à un autre hôpital, plus près de la maison, où l'on traite la tuberculose. Nous l'y amenons tout de suite. Malang devra s'y rendre chaque matin pour prendre sur place, devant une infirmière, huit cachets et ce, pendant deux mois. Nous l'installons dans la chambre de Niamo. Le médecin nous a recommandé de réserver un bol, une cuillère et une tasse que Malang sera seul à utiliser, la tuberculose étant une maladie aussi répandue que contagieuse. Je réalise les risques que j'ai courus en utilisant des tasses qui passaient de bouche en bouche, des cuillères lavées sans détergent, mais surtout les trois verres pour le thé, qui sont à peine rincés dans un petit bol d'eau, et dans lesquels peuvent boire parfois une dizaine de personnes. Je ne voulais pas avoir l'air dédaigneuse, je voulais tellement faire comme tout le monde. Mais, à partir de maintenant, je changerai mes habitudes. Je n'ai pas envie de jouer avec ma santé.

J'accompagne Malang à l'hôpital tous les matins en voiture, Mao partant tôt travailler avec le camion. J'ai des conversations très intéressantes avec lui. Il est plus «latin» que les autres hommes de la famille, et plus sa santé s'améliore, plus il est volubile. Il me parle de l'animisme, des masques, de leurs rôles, des Kankourans, de Zimba, d'Ifan Bondi, du Kumpo qui sont des esprits qui entrent dans le corps et l'âme de certaines personnes choisies et initiées, et les transforment pour un certain temps. Il me dit avoir déjà vu un «être» se déplaçant d'un arbre à un autre, à la vitesse de l'éclair. Il me raconte des choses qu'il me fait promettre de ne jamais répéter. C'est à la fois fascinant et terrifiant. Il me parle aussi de l'initiation qui accompagne la circoncision des garçons. À onze ans environ, ils partent en groupe dans la forêt, où ils doivent rester un mois avec un «circonciseur» et un guide spirituel qui leur apprend à devenir de vrais hommes. Ils sont soumis à des épreuves de force et d'endurance. Ils doivent être forts et stoïques, et tout supporter sans pleurer. Comme c'est un sujet tabou pour les femmes, il ne me donne pas trop de détails.

Il me raconte tout ça à l'hôpital où nous attendons souvent jusqu'à une heure, entourés de lépreux, d'enfants vomissant tripes et boyaux, et de tuberculeux crachant leurs poumons. C'est très dur de voir une telle misère. La plupart ont à peine les moyens de s'offrir un bol de riz avec un peu de sauce. Comment guérir dans ce cas? L'oncle a plus de chance; comme je lui fais tous les jours à manger (bœuf, poulet, poisson, œufs, fruits, légumes, laitages), il retrouve vite sa forme et peut bientôt se rendre à l'hôpital en vélo.

Après deux mois de traitements, complètement rétabli, il repart en Casamance chercher sa femme et ses quatre enfants.

Il revient vivre en Gambie, à Brikama d'abord, chez son frère Aliou, le père de Niamo. Il s'installe à l'entrée de la ville, sous un arbre, et reprend le métier qu'il exerçait en Casamance : réparateur de vélos. Puis, s'étant fait une clientèle, il loue une case pour lui et sa famille. J'y suis toujours la bienvenue, car il est convaincu que je lui ai sauvé la vie. Tant mieux si c'est vrai ! C'est une immense satisfaction pour moi d'avoir eu l'occasion et la possibilité de l'aider.

Mariatou, qui est vite retombée enceinte après sa fausse couche, donne naissance à Kamanka à une petite fille. Elle, Mama Keba et les garçons sont au village pour la récolte du maïs. Je suis seule avec Mao, c'est merveilleux, il est d'une telle gentillesse avec moi. Au moment de la naissance, je suis très enrhumée et vraiment mal en point. Il me soigne du mieux qu'il peut. Il demande à notre voisine sénégalaise de me préparer des frites et des omelettes. Il hésite même à partir au village pour le baptême (cérémonie du nom), n'ayant guère envie de me laisser seule, sans voiture. Même si je ne peux y aller, ce que je regrette profondément, j'envoie à Mariatou un boubou de basin bleu pâle, un bracelet de pierreries de la même couleur et un sac pour transporter les affaires du bébé. Mao et Maïmouna seront partis au moins cinq jours. Je reste donc avec Karamo et Niamo.

La première nuit, comme j'ai très chaud à cause de la fièvre et qu'on est en pleine saison des moustiques, j'installe devant le ventilateur un petit seau de métal dans lequel il y a une grosse bougie à la citronnelle. La fumée antimoustiques se répandra ainsi dans toute la chambre. D'une pierre, deux coups ! En me réveillant le matin, je vois d'abord mon bras droit... noir. Le gauche *idem*, les murs jaunes, noircis et j'ai du mal à respirer. Je me lève et je vois que mes jambes, qui étaient couvertes, ont gardé leur couleur habituelle. J'éteins le ventilateur, les pales sont noires. Je me vois dans le miroir, je suis devenue noire. Wow ! ça me va assez bien ! J'éteins la bougie et remarque qu'une épaisse fumée s'élève de la mèche. Le ventilateur, toute la nuit, a répandu cette suie dans la pièce et sur moi. Une fois que le petit seau contenant la cire est refroidi, je regarde en dessous et je lis les instructions : «Ne pas utiliser à l'intérieur. Pour usage extérieur seulement. Très toxique. Produit du Mexique.»

J'étais déjà très malade, mais alors là, je me sens au bord de l'asphyxie. Mes poumons sont complètement congestionnés. J'ouvre portes et fenêtres. Prince veut rentrer, comme d'habitude, mais l'odeur ne doit pas lui plaire; il retourne s'asseoir sur le mur, entre les tessons. Je sors vite pour respirer et me doucher. Je vais ensuite réveiller Niamo. Il vient voir l'état de la chambre et n'en revient pas. Il m'aide à tout laver: murs, meubles, ventilo, rideaux, literie, etc. Ça nous prend la matinée. Petit à petit, je me sens mieux, mais ça coule noir quand je me mouche et ma respiration est sifflante. Il me faudra quelques jours pour m'en remettre.

Pas de voiture, pourtant je dois aller au marché. Un matin, en sortant de la concession, je vois, quelques maisons plus loin, un attroupement d'hommes vociférant. Les femmes regardent de loin. Je m'approche un peu et demande à ma voisine sénégalaise ce qui se passe. Elle me dit qu'un jeune homme est entré subrepticement chez un voisin, sans doute pour voler une poule. Un habitant de la maison l'a surpris et a crié au voleur de manière à ameuter les gens aux alentours. Des hommes ont attrapé l'intrus et ils le battent maintenant à coups de poing et de pied. Un vieux, témoin de cette barbarie, les somme d'arrêter. Ils obéissent mais en continuant cependant à insulter le voleur. Ce dernier est remis sur pied par deux costauds; c'est alors que je vois le pauvre hère, le visage en bouillie, couvert de sang, une jambe traînant dans un drôle d'angle. Tout ça pour une poule. Probablement pour se nourrir ou nourrir sa famille. Mais peut-être aussi pour la vendre et s'acheter un peu de *yamba* (marijuana)? Ce n'est sûrement pas dans cet état qu'il pourra s'expliquer. On le tire sur la route dans la direction opposée au marché où, moi, je dois me rendre. Je pense à tout ce que le voleur a pris chez nous, il y a quelques mois; si on l'avait attrapé, on l'aurait certainement tué. Ils y vont fort quand même!

Mao revient enfin de Kamanka. Il m'a manqué. Il ramène Maïmouna, Lamine et Bunama, qui ont l'air très contents de me revoir et se jettent dans mes bras, ainsi que Mariatou, avec sa petite Aïsatou, et Mama Keba qui semble avoir pris du poids. Est-ce la vie au village? On m'apprend plutôt qu'elle est enceinte de trois mois. Aïsatou est un gros bébé. Elle porte une blouse ouverte dans le dos et est fesses nues. Elle a des gris-gris autour du cou, des poignets et de la taille. Ce sont des cordons auxquels sont attachés de petits carrés de peau de chèvre ou de mouton contenant des versets du Coran. C'est le marabout qui, au baptême, les met au bébé. Il lui rase aussi la tête. Les adultes portent également ces gris-gris ; ils sont protégés de la même façon. Le nombril de la petite est protubérant comme chez la plupart des enfants. Mariatou me la met dans les bras, petite poupée. Elle est encore très claire de peau, n'ayant pas pris sa couleur définitive. Je m'assois sur le muret du porche et contemple la petite fille d'une quinzaine de jours. Elle est très mignonne. J'ai un élan de tendresse envers elle. Je sens subitement un liquide chaud couler sur ma cuisse : elle a fait pipi, la coquine ! Tout le monde rit, moi aussi, mais j'irai aujourd'hui même lui acheter des couches jetables que je lui ferai porter quand j'aurai à la prendre dans mes bras.

Comme elle allaite, Mariatou est en « quarantaine ». Mao ne peut donc pas dormir chez elle, alors il passe deux jours avec Mama Keba, deux avec moi et ainsi de suite. La nouvelle maman fait quand même à manger de temps à autre. Ce sont toujours mes coépouses qui préparent le repas du midi, dont on termine souvent les restes au repas du soir. Quand ce sont mes deux jours, seuls Mao et les garçons mangent avec moi, et uniquement le soir. Ils adorent le filet de bœuf, cuit avec des oignons, accompagné de frites au ketchup, la salade et le yogourt. Comme salle à manger, je sors une chaise sur laquelle je mets le plat de viande et les frites. Mao et moi nous asseyons sur le muret, et les garçons, sur une autre chaise. Ils ont très bon appétit ; je n'ai jamais besoin de leur dire de manger, comme j'ai souvent dû le faire avec mes enfants. D'ailleurs, ils ont, tous les trois, pris quelques kilos.

Les femmes ont une souplesse incroyable ; elles sont continuellement accroupies ou courbées en deux, souvent avec leur bébé accroché au dos. Tout se fait sur le sol : préparation des repas, lessive, repassage, tressage et jeux de société. Les balais n'ont pas de manche, ce sont des gerbes de paille liées ensemble avec de la ficelle, alors on doit se plier complètement pour balayer, autre chose que je suis incapable de faire. J'ai acheté mon balai dans un supermarché. Il est importé de Chine et possède un long manche. On fait ce qu'on peut !

Je suis quand même plus en forme depuis que je vis en Gambie. Nourriture plus saine, peu de grignotage entre les repas, pas de chocolat, ni de pâtisseries. Les longues marches sur la plage, la natation, l'exercice dans les vagues et la chaleur m'ont fait fondre. Pendant la saison des pluies, l'humidité hydrate la peau, qui devient plus souple. Le bronzage me donne bonne mine. Quand je ne suis pas tressée, mes cheveux mi-longs frisent tellement qu'ils me font une tête à la mode afro. Je me sens comme une jeune de trente-cinq ans.

L'humidité n'a pas que des avantages. Il y a beaucoup plus de rhumes (j'ai mis du temps à m'habituer aux enfants dont la morve coule jusque dans la bouche) ou de problèmes respiratoires, souvent causés par les serpentins antimoustiques que les gens font brûler à l'intérieur, ce qui est très nocif (ça me rappelle quelque chose). Plus de moustiques, donc plus de cas de paludisme. Il est aussi fréquent de voir des gens avec des ulcères sur le corps. Non soignés, ceux-ci se transforment en plaies purulentes qui attirent les mouches, ce qui cause des infections très graves. C'est douloureux et très incommodant. Je soigne ceux qui me le demandent. Je désinfecte d'abord avec du peroxyde, puis je mets de la lotion de calamine et je recouvre avec un pansement pour protéger la plaie de la saleté et des mouches. Ça ne coûte pas cher; la guérison est, en général, une question de jours.

Il y a deux sortes de pharmacies à Serrekunda. Quelques-unes sont installées dans de vrais locaux commerciaux avec tablettes, armoires, comptoirs, etc. Elles sont dans des rues principales très passantes, appartiennent à des Indiens ou à des Pakistanais pharmaciens diplômés, et on peut y acheter ce qu'on veut, sans ordonnance. On y trouve surtout des médicaments génériques fabriqués en Inde ou au Nigeria et souvent périmés. Mais comment s'en assurer? Les autres pharmacies sont de petites boutiques, tenues par des Gambiens qui ont quelques notions de soins infirmiers. Ils vendent principalement de l'aspirine, des somnifères, des antibiotiques, des condoms, des médicaments pour prévenir le paludisme (ils donnent aussi des injections pour le soigner, une fois la crise commencée). Là encore, on peut tout se procurer sans ordonnance, à l'unité. On décrit les symptômes, et voilà.

J'ai travaillé pour mon frère pédiatre, j'ai eu trois enfants. Je me considère donc comme apte à soigner tous ceux qui s'adressent à moi (il y en a tous les jours) avec leur petits problèmes de santé. Maux de tête : aspirine ou paracétamol ; diarrhée : Kaopectate (que j'ai apporté pour mon usage personnel et qui, miraculeusement, m'est inutile) ; mauvaise digestion : Tums ou sel Eno ; fièvre ressemblant à un début de paludisme : trois Fansidar. J'ai aussi du sirop pour la toux, du Polysporin en gouttes pour les yeux et les oreilles, en onguent pour les petits bobos, de la lotion de calamine, du peroxyde, des sparadraps, de la ouate et des rouleaux de gaze. Avec ça, je peux parer à presque tout. J'adore soigner, surtout quand je vois les guérisons rapides et les gens soulagés. Oui, c'est gratifiant ! C'est un peu aussi la réalisation de mon rêve de jeunesse.

Aïsatou a maintenant un mois. Sa maman veut aller dans son village, en Casamance, pour la présenter à ses parents. Je suis ravie d'être de la partie. Cette fois, nous partirons, Mao, ses fils, Mariatou, le bébé et moi. Nous passerons par Kamanka pour laisser les garçons et pour prendre Na Aminata. Elle nous accompagnera, car le village de Mariatou est aussi son village natal et la mère adoptive de Mariatou, sa sœur. Comme le trajet est assez long, nous le ferons en deux jours.

Nous arrivons chez Ba Bunja en début d'après-midi. Na Aminata me montre ma chambre. Cette fois, je dormirai dans la maison principale, dans la chambre réservée à Mao et à son épouse du jour, en l'occurrence moi. Je m'allonge un peu, fatiguée du trajet, jusqu'à ce que Mao vienne me chercher. Il me demande si je veux l'accompagner en voiture à quelques kilomètres, sans toutefois m'expliquer ce qu'il va faire là.

J'adore me promener dans la région et connaître différents endroits. Il le sait et veut me faire plaisir. Je monte dans la voiture; Lamine y est déjà. Nous attendons de longues minutes. Mao s'amène enfin avec un autre homme, que je connais de vue et qui a vécu quelques années en Espagne. Ils portent dans leurs bras, placés en chaise, une très vieille femme qui gémit et a l'air vraiment mal en point. Ils l'installent sur le siège arrière et l'homme monte à ses côtés. Après les salutations, je demande à Mao ce qui se passe. Il me dit: «Ibrahim parle espagnol, toi aussi, il va t'expliquer.»

Ibrahim me raconte alors une histoire qui pourrait être drôle, si elle n'était pas si dramatique. Cette vieille est sa mère. Il y a trois jours, elle est partie à pied à travers champs rendre visite à sa sœur, qui habite le village voisin. Après y avoir passé la journée, même s'il était un peu tard, elle a décidé de rentrer à Kamanka. Son beau-frère l'a raccompagnée jusqu'à la sortie du village et est retourné chez lui. La mère d'Ibrahim connaît très bien ce chemin, elle l'a suivi des centaines de fois, mais, pour une raison que personne ne peut expliquer, à peine quelques mètres plus loin, elle est tombée dans un puits tari.

Comme c'était déjà le crépuscule, tous étaient rentrés chez eux pour prier et pour manger. Une fois la nuit tombée, personne ne sort du village ; on ne sait jamais quoi ou qui l'on peut rencontrer. Donc, la pauvre vieille a eu beau crier, appeler au secours, personne ne l'a entendue. Épuisée, blessée, elle a eu mal, elle a eu froid, mais elle a fini par s'endormir, toute recroquevillée. À l'aube, des garçonnets, passant près du puits pour mener leurs veaux au pâturage, ont entendu des gémissements et des pleurs venant du fond du puits. Terrorisés, ils ont pris leurs jambes à leur cou et sont retournés au village, laissant leurs veaux sur place. Chacun s'est précipité chez lui et, haletant, a raconté avoir entendu une voix étrange, probablement celle d'un esprit, qui sortait du puits.

Comme ce sont des affaires d'hommes, les femmes ayant trop peur, ils y sont allés à cinq. Bravement, les garçons les ont suivis de loin. Pas trop rassurés malgré tout, les hommes se sont approchés du puits et ont vu au fond un paquet enveloppé de tissus, qu'ils ont reconnus comme appartenant à la vieille Adama qui était venue les voir la veille. Ils l'ont appelée, elle a bougé un peu et a trouvé la force de leur crier : « Sortez-moi de là, imbéciles ! » Ils sont allés chercher une échelle et ont réussi à la hisser hors du trou. La pauvre femme était bien amochée. Elle avait mal à l'épaule, au cou et à la jambe gauche. Ils l'ont ramenée à Kamanka en charrette tirée par un âne et l'ont portée chez son fils. Ce dernier ne s'était pas inquiété, étant certain qu'elle était restée à dormir chez sa sœur. Il l'a installée dans un lit et l'a laissée se reposer. C'était hier.

Profitant du fait que Mao est là avec la voiture, Ibrahim, ne pouvant plus supporter de voir sa mère souffrir ainsi, veut l'emmener voir un médecin. Sa jambe est très enflée et son épaule, qu'elle ne peut bouger, paraît disloquée. À chaque saut de la voiture, elle gémit, les yeux fermés, serre les poings, le visage grimaçant.

Nous arrivons enfin. Ibrahim ayant dit aller voir un *doctor*, j'avais imaginé que ce serait un vrai médecin. Mais c'est encore un guérisseur comme celui qui a soigné le bras de Lamine.

Mao et Ibrahim descendent la vieille femme qui hurle de douleur et la couchent sous le porche à l'entrée de la maison. Le guérisseur sort, salue, se penche vers elle, l'examine brièvement et ce que je redoutais se produit. Il fait d'abord un genre de torsion de la jambe qui lui fait tellement mal qu'elle ne peut même plus crier, étant à bout de souffle. Il s'attaque ensuite à l'épaule ; la plainte, qui n'a presque rien d'humain, reprend de plus belle. Ça me frappe soudain ; il me semble entendre la voix de ma sœur Denyse, souffrant du cancer qui devait l'emporter. Elle aussi avait mal, criait, gémissait et poussait de longues plaintes. Ça me prend au cœur, aux tripes, à la tête, c'est insoutenable.

Je pousse Lamine hors de la voiture. Je constate qu'il est aussi impressionné que moi et que la situation lui rappelle certainement d'aussi mauvais souvenirs. Je lui prends la main et, en courant, nous retournons sur la route principale. Sans parler, je marche très vite en regardant droit devant moi. Je ne peux pas supporter la douleur des autres. J'arrive bientôt à un village. Il y a un banc sous un manguier. Nous nous asseyons, Lamine et moi, haletants et en nage. Nous avons marché en plein soleil. De la maison la plus proche sort un jeune homme qui nous apporte une tasse d'eau. Je le remercie en mandingue ; il me répond en anglais. Je lui explique brièvement ce qui vient de se passer quand Mao arrive, stoppe la voiture et ouvre la portière. Je monte, prends Lamine sur mes genoux et il démarre sans un mot, sans une question. Il met sa main sur mon épaule et la serre doucement. Nous nous regardons et nous nous comprenons.

Trois mois plus tard, je vois, chez la mère de Niamo à Brikama, une vieille femme qui me sourit en me parlant avec beaucoup d'enthousiasme. Je demande à Niamo qui elle est, et ce qu'elle me raconte. Il répond : « C'est la mère d'Ibrahim, de Kamanka, elle dit qu'elle te connaît. » Elle se lève alors et fait quelques pas de danse. Je n'en crois pas mes yeux ! Elle rit !

Nous partons très tôt le lendemain matin pour Sedhiou, qui se trouve à environ quatre heures de route. Mariatou s'est assise à l'arrière avec moi. Elle me donne Aïsatou que je couche sur mes cuisses. Na Aminata est devant avec Mao. Je contemple le paysage qui, à mon grand étonnement, est un peu vallonné. Nous devons nous arrêter à la frontière, qui curieusement se trouve au beau milieu de la petite ville, et payer des taxes de passage pour la voiture. Ça semble être une nouvelle politique. Dans cette même ville, qui s'appelle Soma, nous allons rendre visite aux parents de Mama Keba qui sont de la famille de Ba Bunja. C'est du moins ce que j'ai compris. Mao leur offre des draps et des taies d'oreiller roses, brodés, importés de Chine. Ils sont très jolis. Ce sont les mêmes que ceux que j'ai achetés pour remplacer la nappe à carreaux qui était avant sur mon lit. La mère est très contente. Ce ne sont pas des gens très riches, c'est évident. Elle nous donne en retour un grand panier de mangues et nous repartons.

Sedhiou est une ville de quelques milliers d'habitants, située au bord du fleuve Casamance. Nous la traversons pour nous rendre à la concession du clan du père adoptif de Mariatou. Il en est le patriarche. C'est un marabout très réputé dans toute la région. Nous sommes reçus à bras ouverts. Il y a tellement de monde que, à part la mère adoptive de Mariatou, son père et une de ses sœurs, à qui je suis présentée, je ne sais pas qui est qui. Je ne sais pas pourquoi, mais je suis très intimidée. Mao, sa mère et Mariatou saluent tout le monde ; je reste là, plantée à ne pas savoir quoi faire. Ma coépouse, se rendant compte de mon trouble, me donne Aïsatou et me présente aux autres. Puis elle m'emmène visiter la grande maison, où il n'y a que des chambres à coucher et une salle de bain, une vraie ! Je compte huit chambres au total. Mao et moi sommes installés dans une petite case un peu à l'écart, où il n'y a qu'une chambre avec, à l'avant, une grande terrasse. Cette chambre, qui est immense comparativement à celle de Serrekunda, a un lit, deux chaises et une petite table. La fenêtre a des volets de bois. Chose très rare, le sol est carrelé et non en ciment ou recouvert de linoléum. Sous le toit de tôle ondulée, il y a un plafond, ce qui rend la pièce moins torride. Je suis étonnée que Mariatou, dans sa famille, ne partage pas son lit avec Mao. Quand je lui en demande la raison, elle me sourit, soulève son sein et, avec les deux index joints, me dit : « Mao, Mata. » Je comprends ce qu'elle veut me dire : elle allaite toujours, donc elle ne peut pas dormir avec Mao. Je lui fais spontanément un gros bisou sur la joue ; ça la fait rire mais je vois que ma réaction l'a émue. Mariatou, ma petite sœur !

Après m'être rafraîchie et changée, je vais m'asseoir à l'ombre. Mariatou vient me mettre Aïsatou endormie dans les bras. Je remarque que la petite a un morceau de tissu collé sur le front. Devant mon air interrogateur, sa mère imite un hoquet. Donc, quand un bébé a le hoquet, un petit bout de coton collé sur son front suffit pour l'arrêter ? Quel dommage que nous ne puissions pas communiquer. C'est frustrant ! J'aimerais tant pouvoir parler avec elle et Mama Keba. Savoir ce qu'elles pensent, si elles sont heureuses. Je ne fais pas beaucoup de progrès en mandingue, peut-être à cause de mon âge, mais c'est aussi une langue très difficile. Mariatou retourne dans la grande maison.

D'une petite case, tout près de l'endroit où je suis assise, sortent Mao et son beau-père. Ils me font signe de venir et me font entrer dans une pièce où il y a un petit lit, un banc en ciment, couvert de carreaux de céramique et construit en prolongement du mur, et une grande peau de vache sur laquelle le marabout s'assoit. Il me dit, dans un français hésitant, de m'asseoir sur le banc. Oh ! c'est froid pour le postérieur ! Je sursaute et Aïsatou se réveille. Son grand-père tend les bras ; je lui donne sa petite-fille et c'est alors que je remarque, autour de la peau de vache, des piles de billets de banque. Des francs CFA. Je dois faire un effort pour garder la bouche fermée. Mao m'a déjà dit qu'il devait encore à son beau-père une petite somme d'argent, pour compléter la dot pour Mariatou. C'est vraiment pour le principe, car il semble évident que ce monsieur n'est pas à quelques milliers de francs près.

Il m'examine attentivement. Je n'ai pas la tête couverte, ça ne doit pas lui plaire. Il me demande, comme ça, à brûle-pourpoint, si je bois de l'alcool. Je me sens obligée de lui mentir, pour éviter que la honte ne retombe sur Mao. Il veut ensuite savoir si j'ai des enfants; je lui réponds que oui. Est-ce que je veux en avoir avec Mao? Ma réponse, comme quoi j'ai passé l'âge malheureusement, le laisse perplexe. Il ne semble pas me croire. Les questions sont posées sur un ton inquisiteur. J'ai toujours eu horreur de ce genre d'autorité, et ce bonhomme, qui a peut-être seulement une dizaine d'années de plus que moi, commence à me faire suer sérieusement. Heureusement, Aïsatou se met à brailler, ce qui crée une diversion et me permet de sortir de la pièce avec elle sous prétexte de la calmer. Ouf!

Je vais la coucher sur le lit qui sera le nôtre ce soir et je m'allonge à côté d'elle. Mao ne tarde pas à me rejoindre. Je ne peux m'empêcher de lui parler de la fortune de son beau-père. Cet argent, me dit-il, n'est pas vraiment à lui. Les gens qui viennent le consulter pour différentes raisons lui font un don pour le remercier. Et quand d'autres, démunis, viennent lui demander la charité, c'est cet argent qu'il leur donne. Donc, l'argent roule, passe par lui qui reçoit du plus riche pour donner au plus pauvre. Il n'est que l'intermédiaire. Je pense: une sorte de Robin des Bois. Mais je dis: «Ah bon!» «C'est un saint homme», ajoute Mao. Il ne me plaît toujours pas plus. Surtout quand mon mari me dit que nous devons aller à Sedhiou, à la pharmacie, chercher un médicament pour le diabète de ce cher homme. À mes frais! Nous devons aussi rapporter, pour toute la famille, trois caisses de douze bouteilles de Coca et de Fanta.

En visitant le marché, je me calme. Un atelier d'ébéniste, devant lequel nous passons, s'avère appartenir au frère de Mariatou. Grosse surprise, il me fait la bise sur les deux joues, à la française, et me tutoie d'emblée en me parlant avec un accent parisien ou quelque chose d'approchant. Il a «duré» cinq ans en France où il a appris son métier. On l'appelait Jean-Claude, me dit-il tout fier, mais son vrai nom est Djibril. Il est super-sympa. Ça me réconcilie avec la famille. Il ferme boutique et nous le ramenons avec nous. Mao distribue les boissons qui sont encore fraîches, en commençant par le père à qui je remets ses médicaments et qui me remercie.

Un bélier a été immolé en notre honneur. J'ignore comment on l'a fait cuire, mais même si ce n'est plus un agneau (interdiction par le Coran de tuer de jeunes animaux), la viande est extrêmement tendre et savoureuse. C'est du moins le cas de la partie qu'on m'a servie avec un morceau de foie. Mariatou a dû leur dire que j'adore le foie. Après le repas, que Mao, Mariatou, sa sœur, Jean-Claude/Djibril et moi avons pris sur la terrasse assis sur des nattes, le « Parisien » prépare l'*ataya* (le thé). Je sais que je ne devrais pas en boire, car c'est un stimulant très puissant, d'autant plus que, à Sedhiou, Mao et moi avons partagé une noix de kola. Oh! et puis, on ne vit qu'une fois! Des amis de Djibril viennent se joindre à nous. Ils parlent tous français, connaissent le Québec assez pour savoir qu'il y a un parti indépendantiste, et font le parallèle avec la situation de la Casamance. C'est très intéressant. Il y avait longtemps que je n'avais pas eu une discussion aussi passionnante. Pendant ce temps, Mao, qui ne comprend pas la conversation, me caresse les pieds et les mollets, histoire de bien leur montrer que je suis à lui. Je l'adore quand il se comporte comme ça. C'est macho, mais ça me plaît.

La soirée se termine tard dans la nuit. Nous rentrons nous mettre au lit. Comme les volets et la porte ont été fermés en début de soirée à cause des moustiques, il fait très chaud, l'atmosphère est suffocante. De plus, quelqu'un a cru bien faire en vaporisant de l'insecticide Baygon. L'air est irrespirable et l'obscurité, totale, ce que je ne peux supporter. Nous faisons quand même l'amour, c'est comme toujours très agréable, mais ça n'arrange rien. Nous ne pouvons pas dormir. Nous sortons matelas en mousse, oreillers et draps sur la terrasse. Au moins, l'air est pur et frais, et il y a un beau ciel étoilé. Au bout d'à peine quelques secondes, les moustiques nous ont repérés et « bzzzzz! » Drap sur la tête, c'est le seul recours. Les Africains ont peut-être l'habitude de dormir ainsi, pas moi! J'étouffe et j'entends quand même les vrombissements. Pourquoi ai-je bu les trois verres de thé? Je me sens comme un paquet de nerfs. J'essaie de me concentrer sur les bruits de la nuit africaine: la stridulation des criquets, des grillons et des cigales habituellement me berce et m'endort. Pas cette nuit! Mao ronfle pour compléter le concert. J'attends l'aube, le nez dans un minuscule espace dans le drap, que je ferme et ouvre au rythme de ma respiration.

Appel à la prière, enfin! Nous rentrons dans la chambre et nous refaisons le lit. Comme nous avons fait l'amour, Mao doit se laver en entier avant de prier. Il se dirige vers la grande maison, où il y a une salle de douche. Quand il revient, je dors. Il s'allonge à côté de moi, s'endort et se remet à ronfler. Mariatou, qui nous a laissés dormir assez tard, cogne à la porte, entre, fait une génuflexion devant Mao et dépose sur la petite table un bol de bouillie de mil garnie de lait caillé et d'un kilo de sucre. Que c'est bon! Ça remplit bien un estomac qui peut ensuite attendre sans grogner le repas de midi, même si c'est six heures après.

Aïsatou, que sa maman avait sur le dos, reste avec nous. Elle est bien réveillée et de très bonne humeur, la petite. Je lui parle bébé et la fais sourire. Mao, comme bien des hommes, pense que les bébés appartiennent aux femmes jusqu'à l'âge de raison et que les hommes n'ont pas ce qu'il faut pour s'en occuper, de quelque façon que ce soit. Mon propre père pensait la même chose. Quand je me remémore le comportement du père de mes enfants, quelle différence! Mao fait cependant un petit effort pour lui faire guili-guili sous le menton en lui souriant. C'est toujours ça! Cet homme est foncièrement bon. Je l'aime, ça monte de mon cœur à mes yeux qui s'embuent. Je voudrais tant que cet enfant soit le nôtre. Bien des femmes seraient prêtes à me donner le leur à élever, mais ce ne serait pas tout à fait la même chose, pas vrai?

Mao n'a pas la notion de ce que représente le fait d'avoir cinquante-deux ans pour une femme. Il ne connaît ni son âge ni celui de ses parents, ou de ses frères et sœurs. Parce que je n'ai pas de cheveux blancs (je les teins) et qu'il a vu que j'avais mes règles il y a quelques mois, il croit que je suis toujours fertile, que je peux concevoir. Il a tellement l'air d'y croire et de le vouloir qu'il réussit presque à m'illusionner. Il me quitte pour aller retrouver son beau-père. J'essaie d'en profiter pour dormir un peu, mais quelqu'un fait jouer la radio très fort et ça me dérange. J'ai apporté *Ségou* de Maryse Condé. J'ai déjà lu les trois tomes à Montréal mais de les relire ici, dans le contexte, m'apporte une autre dimension. C'est fascinant! Et moi qui devais me rendre au Mali, il y a deux ans, en arrivant sur le continent. Bamako, Ségou, Mopti, Tombouctou, j'en ai tant rêvé. Maintenant, il y a fort peu de chances que j'y aille un jour.

La sœur de Mariatou vient me chercher pour le repas du midi. Un *nyankatang* nous est servi : riz mélangé à des arachides fraîches pilées, cuit avec du poisson fumé et des crevettes si on en a les moyens. C'est un de mes plats préférés. Mama Keba m'en donne chaque fois qu'elle en prépare. Après manger, je sors de la concession pour aller me promener au bord du fleuve Casamance. Il fait une chaleur abrutissante. Je mets mes pieds dans l'eau, sans plus. Le fond est rocailleux et ne donne pas du tout envie d'aller plus loin. D'ailleurs, il serait inconcevable et inconvenant de me mettre en maillot pour me baigner. Partout où il y a de l'eau, je n'ai vu que des garçons se baigner. Eux peuvent se mettre à moitié ou même complètement nus, mais jamais les femmes. Sauf entre elles, à l'abri des regards masculins. Elles appartiennent toutes à des sociétés plus ou moins secrètes où elles se réunissent par groupe d'âge. Le fait, pour les garçons, d'avoir été initiés et circoncis ensemble crée aussi des liens souvent plus forts que ceux du sang. Chez les filles, c'est sûrement la même chose. Celles qui ont été excisées durant la même période ont partagé tant de craintes, de peurs et de douleurs que, même en n'en parlant jamais, elles n'oublient pas.

Je réfléchis à tout ça. Je sais que jamais je ne pourrai appartenir à quelque société ou regroupement de femmes, même si j'en venais à parler parfaitement mandingue et à avoir des enfants. Je suis une femme non excisée, donc impure. Si un mandingue veut épouser une femme d'une ethnie qui ne pratique pas l'excision, par exemple une Wolof, elle devra subir l'opération ou elle ne sera jamais acceptée par les autres femmes et le couple pourra même être banni. Cette coutume était en vigueur il y a peu de temps et l'est sûrement encore maintenant.

Cette réflexion me vient de ce que j'ai vu en sortant de la concession après le repas, quelque chose que j'aurais préféré ne pas voir. J'ai vu des fillettes, âgées entre sept et treize ans, vêtues de blanc, leurs cheveux et leurs vêtements décorés de cauris, marchant à la file, les yeux au sol. Elles se dirigeaient vers un bois à la sortie du village. Elles étaient escortées de plusieurs vieilles femmes, dont ma belle-mère, Na Aminata. Leurs mères les regardaient partir en les encourageant avec de grands sourires. J'ai compris que les petites filles allaient être excisées. J'ai été parcourue de frissons. Quelle barbarie ! Mais je n'y peux absolument rien ; il serait inutile que je donne mon opinion ou que je me scandalise ouvertement. Cela n'aurait aucun poids. C'est une coutume trop ancrée dans les mœurs depuis des siècles, avant même l'arrivée de l'islam.

Je n'ose pas poser de questions à Mao qui est très pudique envers tout ce qui a trait aux femmes : grossesse, menstruations, orgasme, excision, etc. Niamo est la seule personne avec qui je peux parler de n'importe quoi, mais comme il n'est pas marié et qu'il est même probablement encore puceau à vingt-quatre ans, il ne doit pas connaître grand-chose de ces sujets tabous pour les hommes. Ma belle-mère a l'air toute douce, n'élève jamais la voix, sourit à tous, cajole les enfants, qui l'aiment beaucoup. J'ai peine à l'imaginer tenant un couteau ou une lame de rasoir, mutilant une petite fille en lui coupant le clitoris. Je l'aime bien pourtant; nous nous comprenons sans parler, par des gestes et des regards qui veulent dire beaucoup. Je dois oublier cette journée, pour éviter que ne changent mes sentiments à son égard. Elle-même a été et est encore victime de cette sordide coutume.

Les ruraux ne sont pas les seuls à la respecter. Il y a parmi nos voisins à Serrekunda un jeune couple très sympathique. Tous deux sont instruits; lui travaille pour le gouvernement et elle enseigne dans une école secondaire. Ils ont l'électricité, l'eau, une bonne, une voiture et une jolie maison. Ils semblent modernes et s'habillent même à l'occidentale. Ils n'ont qu'une fillette d'environ cinq ans, Aïda, toujours bien habillée, proprette et bien élevée. Après l'école, elle aimait venir me rendre visite et regarder jouer Prince. Je me suis habituée à sa présence. Ne la voyant pas durant une semaine, en croisant sa mère au supermarché, je lui ai demandé si la petite était malade. Elle m'a répondu, très désinvolte: «Mais non, elle est au village chez ma mère, c'est la période de l'excision.» Sidérée, je n'ai rien trouvé d'autre à répondre que «Oh!» et je lui ai tourné le dos en m'enfuyant avec mon *caddie*. Je ne lui ai jamais plus adressé la parole, et la petite me salue de loin, mais n'est jamais revenue me voir.

Je dors profondément. L'obscurité est presque totale. Soudain, quelque chose saute sur mes pieds. Je le sens qui s'avance en rampant doucement jusqu'à mon épaule. Je veux me réveiller... J'ai peur! Il écarte délicatement les paupières de mon œil gauche; je fais un effort pour ouvrir le droit. J'aperçois, à quelques centimètres, un masque noir qui me regarde. Ses yeux et ses dents blanches brillent dans le noir. J'étouffe un cri et m'assois dans le lit, la main crispée sur l'épaule de Mao. Il se redresse à son tour et, la voix rauque, demande en mandingue: «Qu'est-ce qu'il y a? Qui est là?» La chose se met alors à bondir sur le lit en poussant des couinements hystériques. Maintenant complètement éveillée et hoquetant d'un rire nerveux, j'allume la lampe à pétrole et je vois, au pied du lit, Prince qui me regarde, complètement terrifié. Je m'enroule dans mon pagne et me lève. Prince vient se percher sur mon épaule pendant que mon mari, ne l'ayant pas trouvé drôle, l'engueule copieusement. La fenêtre était sans doute mal fermée, ce qui lui a permis d'entrer au lieu d'attendre que je l'ouvre moi-même, toujours après la première prière. Retentit alors la voix du muezzin qui appelle les fidèles à la prière. Mao se lève. Il est cinq heures trente, un matin de ramadan.

Mao fait les ablutions rituelles et sort sous le porche où sont déjà installés Niamo, Karamo, Maïmouna, Mama Keba, Mariatou, Lamine et Bunama. Je sors prendre Khadi, la fille de Mama Keba, cinq mois. Elle me l'attache sur le dos. Aïsatou vient vers moi en titubant, les bras tendus. Elle a maintenant onze mois et fait ses premiers pas. Je rentre avec les petites, laissant les grands réciter en chœur: «Allah ou Akbar.» Je donne une moitié de banane à Aïsatou, l'autre à Prince, puis commence la préparation du petit-déjeuner. Pain grillé, omelette, gruau, café au lait. La prière terminée, on vient me saluer et récupérer les bébés. Je sers son repas à Mao, qui ne mangera ni ne boira plus avant le coucher du soleil. En principe, il ne devrait même pas avaler sa salive. C'est pourquoi les gens crachent autant pendant ce mois.

Le soleil filtre enfin, mais bien pâlot, à travers un ciel uniformément gris. J'ai hâte que la saison des pluies se termine. C'est débilitant. Je reste parfois des heures sans bouger, la tête vide. La seule chose à laquelle j'ai envie de penser, c'est ce que je ferai à manger le soir. Pas de grande question philosophique ou d'angoisse métaphysique. Plutôt me laisser vivre, en symbiose avec la nature, en évitant les causes de stress, avec fatalisme. Je crois que le « *Inch Allah !* » musulman (si Dieu le veut) commence à m'atteindre...

J'entends le moteur du camion. Mao vient me dire au revoir et me souhaite une bonne journée, en évitant de me toucher ou même de me regarder, afin d'éviter toute tentation. Ramadan oblige ! J'apporte sa robe de chambre et ses tongs à Mama Keba (passation de pouvoirs) et retourne chez moi avec une seule envie : me recoucher. Ce que je fais. On a rétabli l'électricité, coupée depuis hier soir ; je peux donc profiter du ventilateur. Prince vient se blottir derrière mon cou en m'agrippant une mèche de cheveux. Cette manie me fait toujours sourire. Doggy est couché à côté du lit. Je n'ose plus bouger. Je me laisse planer, rêver. Je suis bien, détendue.

Il me semble tout à coup entendre le grincement de la porte de la concession. Sans doute un *bana-bana* (marchand ambulant) qui vient nous proposer sa camelote. J'espère qu'on l'empêchera de venir cogner à ma porte. Puis ce sont de longs hurlements de femmes. Mon sang se glace, car je reconnais leur réaction typique à l'annonce d'un décès. J'enfile un boubou et sors voir ce qui se passe avec appréhension.

Mama Keba, Mariatou et Maïmouna se promènent de long en large en criant et en se tirant les cheveux. Niamo est à genoux par terre et pleure, se tenant la tête à deux mains. Son frère, Yusufa, est debout à ses côtés et pleure aussi. Il est venu nous informer de la mort de leur père, Ba Aliou. Entre les hurlements et les larmes, je reste là, sous le choc, ne sachant trop que faire. Puis, reprenant mon sang-froid, je m'approche de Niamo, lui mets doucement la main sur l'épaule et lui conseille d'aller se changer pour que nous puissions aller chez l'oncle Labaly, où son père est décédé. Aliou a fait comme son frère Malang avait fait en venant malade de Casamance : il est allé directement chez Labaly. Il est arrivé hier soir de Brikama, petit bourg où il n'y a pas d'hôpital. Il espérait, ne se sentant pas bien depuis quelques jours, se rendre à l'hôpital des Pakistanais tôt ce matin pour voir un médecin. Mais c'est trop tard, il est mort durant la nuit. Qu'est-ce qu'il avait ? De quoi est-il mort ? Embolie ? ACV ? Rupture d'anévrisme ? Nous ne le saurons jamais, il n'y aura pas d'autopsie. Pauvre vieux, je l'aimais bien. Il laisse trois femmes et huit enfants, le plus vieux étant Niamo. Chaque fois que j'amenais Niamo à Brikama, j'en profitais pour rendre visite à son père, qui tenait une petite boutique au marché. Je trouvais toujours quelque chose à lui acheter : serviette de plage, tongs de toutes les couleurs, contenants de plastique, savons, et mille autres choses.

En arrivant chez Labaly, je vois qu'il y a déjà un rassemblement. Le cercueil est prêt, le cadavre a été lavé et y est déjà couché. Il doit être transporté à Brikama. Comment ? Il n'y a ni fourgon funéraire ni corbillard. Les hommes regardent ma Peugeot cinq portes et prennent les mesures de l'arrière, avec leurs bras étendus. Puis ils font la même chose avec le cercueil (une simple boîte de bois, sans poignées, sans ornement). On palabre un bon moment pour enfin me demander ce que je redoutais : si je peux, moi, transporter le cercueil à destination. Comment refuser ? J'ouvre le hayon, abaisse la banquette arrière et on le fait entrer. Il dépasse un peu mais, si on l'amarre bien, il ne devrait pas y avoir de problème. *Inch Allah !* Arrive un car rapide qu'on a réservé pour emmener tous ceux qui veulent se rendre à Brikama. J'attends que tout le monde soit à bord, je le laisse passer devant moi et le convoi s'ébranle. Routes défoncées, inondées, qu'on ne peut parcourir qu'à la vitesse de marche à pied rapide. Je peux ainsi voir les réactions des multiples piétons qui regardent avec ahuris-sement la *toubab* transportant un cercueil. Nous arrivons enfin à destination, accueillis par une assemblée de quelques douzaines de personnes prévenues sans doute par le bouche à oreille, ou la radio. On descend le cercueil de la voiture, ce qui provoque les hurlements des femmes. C'est abasourdissant ! On le porte dans une case qui servait de refuge au pauvre Aliou quand il avait besoin d'un peu de calme et de solitude. Les veuves, les parentes, les voisines observent, hurlant toujours leur peine. Puis certaines d'entre elles entrent dans la maison. Les trois veuves s'assoient par terre, côte à côte, dans une petite chambre, la tête couverte d'un grand châle blanc, stoïques. Je vais les voir pour leur offrir mes condoléances. Je connais surtout la mère de Niamo. Je ressors et immédiatement quelqu'un me demande si je sais où est Mao. Il serait difficile de le trouver, puisqu'il est probablement sur la route ou sur un chantier. Sadio, le plus jeune des oncles qui est instituteur et parle bien l'anglais, me demande si, puisque Mao n'est pas là, je peux, moi, aller chercher mes beaux-parents à Kamanka. De Brikama, c'est une distance d'environ cent vingt-cinq kilomètres. Ce serait la seule façon pour eux d'arriver à temps pour l'enterrement. Je fais mentalement un calcul rapide. C'est faisable. Je demande à Lamine, fils de Labaly, de m'accompagner. En route !

Périple, en somme, sans anicroche à part un déluge de quelques minutes nous forçant à nous arrêter, le temps de nous désaltérer. L'arrivée à Kamanka se déroule toujours de la même façon : en quittant la nationale pour tourner vers le village, nous devons nous arrêter près du manguier et saluer tous les hommes qui y sont assis. En voyant arriver la voiture, comme c'est la seule qui fréquente le village, tous savent qui je suis, d'où je viens et où je vais. Je m'arrête donc pour les salutations, puis emprunte le chemin qui mène au village, précédée, comme toujours, par deux ou trois gamins qui coupent à travers champs pour vite prévenir la famille de mon arrivée. Plusieurs personnes se sont déjà réunies pour nous attendre devant la maison de mon beau-père. En voyant mon air plus que sérieux, on pressent une mauvaise nouvelle. C'est le silence complet ! Après m'être inclinée devant mes beaux-parents, je pousse le cousin Lamine vers eux, pour qu'il réponde lui-même aux questions muettes que je lis dans leurs yeux. Ba Bunja aimait beaucoup son grand frère Aliou, même père, même mère. Il chancelle en apprenant son décès, baisse la tête et récite la prière pour les morts. Na Aminata est entourée par les femmes qui poussent leurs fameux hurlements à la mort, découvrent leur tête et se tirent les cheveux. Ba Bunja prend sa femme par le coude, et tous deux rentrent dans la maison tandis que la foule s'éloigne. Les hommes se rassemblent à la mosquée pour prier pendant que mes beaux-parents préparent leurs bagages. Na Aminata ne passe pas un mois sans venir à Serrekunda voir ses enfants, mais Ba Bunja n'est pas sorti de son village depuis cinq ans. C'est donc un double stress pour lui.

En attendant le départ, j'envoie un enfant chercher deux de mes chèvres et un autre, deux de mes poules. Mes coépouses et moi sommes propriétaires de vaches, de chèvres, de poules et d'une petite rizière chacune que nous laissons aux bons soins de la famille, qui en tire un certain profit en vendant le lait et les œufs. Si j'ai bien compris, c'est une coutume dans la famille. Les femmes d'Aliou ont aussi leurs animaux à Kamanka. C'est un investissement qui rapporte des intérêts rapidement, plus qu'un placement à la banque. Une autre coutume veut que nous participions, selon nos moyens, aux frais occasionnés par un décès. Les familles sont très étendues et les parents viennent de partout en Gambie et même du Sénégal. Prévenus par les annonces de décès, qui sont lues à la radio deux fois par jour, ils laissent tout en plan et se rendent chez le défunt où plusieurs s'installent pour quelques jours, parfois même une semaine. Il faut les loger, ces gens, mais surtout les nourrir. Alors, en plus des animaux que j'apporte, j'achèterai un sac de vingt-cinq kilos de riz.

Ba Bunja et Na Aminata sortent avec leurs bagages : nattes, couvertures, bols, faitouts, vêtements, qu'on arrime tant bien que mal sur le toit de la voiture. Les chèvres, dont les pattes sont entravées, sont couchées à l'arrière et les poules sont aux pieds de mes beaux-parents. Les villageois reviennent nous dire au revoir. Ils ont tous quelque chose à donner. Pour plusieurs, ce sont des légumes de leur potager ou des fruits de leur verger ; pour d'autres, des sacs d'arachides. Ils ont peu, mais donnent sans compter.

Il est maintenant treize heures. Comme c'est le ramadan, nous sommes tous à jeun depuis l'aube. En voyage, il est permis de manger et de boire. Je devrai penser à m'arrêter sur la route dans un village qui a un puits, pour que mes vieux puissent au moins se désaltérer. Nous partons. Il fait une chaleur d'étuve. Les pauvres bêtes, traumatisées par le chamboulement de leurs habitudes, relâchent leur sphincter à qui mieux mieux. Nous roulons si lentement, à cause du chargement et de l'état de la route, que les mouches par l'odeur alléchées ont le temps d'entrer nous visiter. À mi-chemin environ, il y a un barrage routier. Des gendarmes me font signe de m'arrêter. J'obtempère. Ils sont quatre à faire le tour de la voiture, carabines en main, l'air sérieux. Ils voient d'abord les chèvres, puis ils entendent les poules. Perplexes!

Le plus âgé vient à ma fenêtre et me demande le certificat d'immatriculation de la voiture, mon permis de conduire et le permis de transport des animaux. Je lui donne les deux premiers et je dois faire un effort énorme pour ne pas éclater de rire en lui disant que je n'ai pas l'autre, le permis de transport d'animaux. D'où viennent les chèvres? Du village de Kamanka et elles sont à moi. Où est la preuve? Pas facile à prouver. Je commence à lui expliquer que nous allons à des funérailles et blablabla, quand ma belle-mère me tape sur l'épaule et me glisse en douce un billet de cinquante dalasis, la coupure la plus élevée, qui équivaut à trois dollars cinquante. Je n'avais pas pensé à offrir un *bakchich*. Quelle innocente! Je fais un grand sourire qui se veut charmeur au *bachi-bouzouk* et lui refile le billet subtilement. Il me rend mes papiers, salue et me fait signe de partir. Ouf! Quinze minutes de perdues. On change de division électorale et la route est en meilleur état. Je peux rouler plus vite pour rattraper le temps perdu.

À seize heures quinze, nous arrivons à Brikama. En voyant mes beaux-parents arriver, les femmes se remettent à hurler. Elles sont au moins trois fois plus nombreuses que ce matin. Quelqu'un a attendu Mao et Labaly au «garage» et les a finalement mis au courant des événements. Labaly ne savait rien, puisqu'il était déjà parti au travail quand on a découvert le cadavre de son frère. Ils sont d'abord passés chez lui pour qu'il se change, puis ils sont allés à la maison où Mao a récupéré femmes et enfants. Il a laissé le camion là et ils sont tous venus en taxi-brousse. Après avoir serré longuement la main de ses parents, Mao me remercie d'être allée les chercher, puis demande à deux jeunes de débarquer les chèvres et les poules, et de descendre les bagages du toit. Ensuite, il sort la voiture de la concession, la gare dans la rue et leur demande de la laver au-dedans comme au dehors; elle en a grandement besoin.

Je suis toujours étonnée de constater à quel point les jeunes, garçons ou filles, sont fiers quand on leur demande un service. Il y a aussi une hiérarchie qui fait que n'importe qui peut toujours demander à plus jeune que lui. Il y a un respect de l'aîné qui malheureusement se perd en Occident. Devant une personne plus âgée, un jeune ne prendra la parole que si on la lui donne. Il doit garder les yeux baissés, ne jamais argumenter, ne jamais élever la voix. À l'étranger, ce respect de l'aîné peut paralyser un jeune immigré, l'empêcher de donner son opinion et de s'exprimer, ce qui peut lui nuire pour l'obtention d'un travail dans lequel il doit s'affirmer. Les vieux sont considérés comme des sages presque infaillibles, même s'ils sont gâteux ou carrément sots. Ce qui est bien embêtant!

Je vais rejoindre les femmes qui sont restées dehors, la maison étant déjà remplie. Je m'assois par terre, à côté de mes coépouses, le dos appuyé au mur de la case d'Aliou. Je prends la petite Khadi sur mes genoux et elle s'endort bientôt. Je ferme les yeux. Je suis crevée, mais je pense au sort qui attend les trois veuves et leurs enfants. Ces derniers sont tous encore à l'école, sauf Niamo. Il travaille occasionnellement, en saison comme guide, mais il gagne peu. Il devra cependant remettre tout son salaire à sa mère. Dans cette société, on n'a ni assurance vie, ni économies, ni aide sociale. Des animaux, c'est tout. On survit au jour le jour. L'oncle travaillait pour un Libanais, comme vendeur de menus articles, au marché. Je doute que Niamo ou l'un de ses jeunes frères soit accepté en remplacement. L'islam veut que les veuves soient épousées et prises en charge, avec leurs enfants, par un des frères de leur mari, pour que les enfants restent dans la famille de leur père. C'est rassurant pour certaines mais pas pour toutes, on devinera pourquoi. La plupart des femmes ont une sagesse, une sérénité, une confiance en la vie et en Allah qui leur permettent de continuer à vivre sans révolte. C'est assez extraordinaire!

Il sera bientôt dix-sept heures et comme c'est vendredi et ramadan, les hommes iront à la grande mosquée à pied avec le cercueil, avant de se rendre au cimetière. La procession se met en branle; les femmes crient une dernière fois leurs adieux. Mao étant un des porteurs, je les suis en voiture en emmenant quelques vieux, dont Ba Bunja, trop faibles pour marcher si loin. Tous les hommes du bourg obéissent à l'appel du muezzin. Ils sont vêtus de leur plus beau boubou et plusieurs sont accompagnés de leurs fils, qui portent fièrement les tapis de prière. C'est une véritable marée humaine. Je roule à travers cette foule, envahie d'une émotion très intense. On peut sentir cet élan religieux nullement empreint de fanatisme ou d'extrémisme, mais respectant le Coran en étant d'abord honnête, charitable et tolérant. Comme se doit d'être un bon musulman.

Le cercueil est déposé devant la mosquée. À la fin de la prière, un imam s'approche pour le bénir et recommander l'âme du défunt à Dieu. La procession se dirige maintenant vers le cimetière où les femmes non ménopausées ne sont pas admises. Le corps sera enseveli enroulé dans un grand tissu blanc ou dans une grande natte. Je pense aux enterrements au Québec. C'est si différent. Ici, pas d'exposition, pas d'embaumement, pas d'incinération, le corps doit être enterré le jour même de sa mort à cause, bien sûr, de la chaleur. J'attends patiemment, assise seule dans la voiture, puis nous reprenons le chemin de ce qui était la demeure de Ba Aliou. Le soleil se couche ; c'est l'heure de rompre le jeûne. Des voisines ont préparé de la nourriture pour une cinquantaine de personnes. Tous mangent « à la main », les hommes servis les premiers dans de grands bols de métal émaillé, les femmes et les enfants servis séparément, dans des calebasses. Je préviens Mao que je vais au marché acheter un sac de riz. Par la même occasion, j'en profite pour me payer une dizaine de brochettes de foie grillées sur charbon, vendues par un Sénégalais, dont je suis une fidèle cliente. Ainsi, mes coépouses ont pu bénéficier de ma part de nourriture et, moi, je me suis bien régalée.

La nuit est tombée depuis longtemps quand nous rentrons à la maison. Mao m'embrasse comme tous les soirs, me souhaite une bonne nuit et rentre chez Mama Keba, dont c'est le tour. Je me fais chauffer un peu de lait avec du miel et me mets au lit pour m'endormir aussitôt, bercée par le ronron du ventilateur.

La vie est plus facile maintenant que nous avons l'eau courante et aussi, pour les femmes, une case où faire la cuisine à l'abri des intempéries. Je me suis même fait construire, avant la venue de ma fille, une salle de bain derrière chez moi. J'ai une douche, un robinet pour laver la vaisselle et faire les ablutions. La toilette, sans chasse d'eau, est faite de blocs de ciment recouverts de carreaux de céramique. Au milieu, il y a un trou dans lequel on a superposé deux barils de métal. Une planche de bois le bouche, pour retenir les odeurs et empêcher les mouches d'aller y pondre. Dans mon enfance, j'avais vu chez des amis de mes parents ayant un chalet avec toilettes à l'extérieur qu'on y versait de la chaux pour favoriser la décomposition des excréments. Je me sers de la même méthode maintenant, quarante et quelques années plus tard.

Me sentant un peu à l'étroit dans mes deux petites pièces, j'ai pensé faire construire un prolongement à mon appartement. Il y aurait un grand salon, une salle à manger, une grande chambre, des placards et une vraie salle de bain. En perçant une porte, je pourrais continuer à utiliser la cuisine, et la chambre que j'occupe actuellement pourrait devenir une chambre pour les garçons ou pour les invités. Ah! les invités! N'importe qui ayant le moindre lien peut arriver dans une famille et y séjourner le temps qui lui plaira. On ne peut lui demander quels sont ses projets ou combien de temps il compte rester. Il faut lui offrir un maximum de confort, le nourrir, même le «blanchir». Si c'est une femme, alors c'est beaucoup mieux. Elle donnera un coup de main à ses hôtesses pour la préparation des repas et les différentes tâches ménagères, et s'occupera des enfants.

Je parle de mon projet à Mao. Il trouve l'idée intéressante. Le voisin a déjà construit plusieurs maisons, dont la sienne, qui est très bien réussie. Il est appelé en consultation. Je lui montre le plan que j'ai fait. C'est, dit-il, tout à fait réalisable et, avec quelques hommes pour l'aider, il est d'accord pour commencer la construction dès que je le voudrai. Mao engage Niamo et les trois fils de Labaly. Nous allons acheter les sacs de ciment, le voisin apporte ses moules pour faire les blocs, ses pelles et tous les outils dont ils auront besoin, et c'est parti !

Je n'aurais jamais cru qu'il était aussi facile de construire une maison. On a d'abord étendu des cordes pour faire des lignes droites. Elles indiquent où seront les murs. Sous ces cordes, on a creusé des tranchées. Puis le sable a été mélangé au ciment, avec de l'eau, et les moules en ont été remplis. Tout délicatement, on a vidé les moules et mis les blocs, pas encore durcis, à sécher au soleil. Une fois ceux-ci bien secs et bien durs, on a versé un peu de ciment dans les tranchées, puis on y a inséré les blocs et rabattu la terre de chaque coté. Petit à petit, les murs se sont élevés. Les tours des portes et des fenêtres ont été renforcés avec des barres de fer. Des troncs de rônier servent de poutres pour tenir le toit. Tout a l'air si facile et si amusant que j'aurais aimé participer.

Il reste à faire crépir les murs à l'intérieur comme à l'extérieur, à installer les tuyaux pour la plomberie et le câblage pour l'électricité, à acheter des plaques de tôle ondulée pour le toit. Le reste, ce sont des détails : appareils sanitaires, portes, meubles, etc. Cependant, avant de continuer les travaux, je préfère attendre encore quelques jours, pour donner le temps au camion de rapporter un peu plus de sous. Je commence à être un peu serrée dans mes finances.

Lamine, fils de Labaly, qui a travaillé à la construction de la maison, est un jeune homme d'une vingtaine d'années, grand, costaud, assez beau garçon et très sûr de lui. Il ne se gêne jamais pour venir me rendre visite, me réclamer une tasse de café ou de thé, des sous pour aller à un baptême, ou même pour acheter des condoms. Cette fois, il vient très tôt le matin pour prévenir Mao que son père n'est pas très bien et qu'il ne viendra pas travailler; il ira sûrement mieux demain. Bon, alors, qu'est-ce qu'on fait? Une journée de travail, ce n'est pas négligeable, surtout que je comptais sur les revenus du camion pour continuer la construction de ma maison. Mao n'a jamais pris le volant du camion. Il pense alors à un jeune qui a son permis et a déjà conduit des camions. D'accord! À lui de juger. Il prend la voiture pour aller chercher «Coly». En attendant, Lamine me demande une tasse de *dji kando* (eau chaude), mais je dois comprendre que c'est d'un café qu'il parle. Pendant que je le prépare, il me dit qu'il voudrait avoir quelques-uns de mes cheveux!! Pourquoi? Il désire quelque chose (il ne veut pas me dire quoi) et un marabout lui a assuré que, avec des cheveux de *toubab*, il ferait en sorte que son souhait se réalise. L'idée m'amuse. Je demande si je peux les prendre de ma brosse à cheveux; il n'a pas l'air trop sûr, mais les accepte. Je le préviens, prenant un air sérieux: «Si quelque chose de mauvais se produit, je saurai que c'est toi le responsable.» Il me répond, mi-incrédule, mi-choqué: «Eh! Fatoumata», et s'en va, avec mes cheveux que j'ai mis dans un mouchoir en papier. Mao revient avec Coly pour prendre le camion. Je le trouve bien jeune mais ne fais pas de commentaire.

Ce jour-là, je vais au marché, puis à la plage, toujours accompagnée de mon garde du corps devenu mon grand copain, Niamo. Nous prenons le repas du midi dans un petit *snack-bar*.

Le service est fait directement sur la plage. Il y a des femmes allemandes, anglaises, scandinaves avec des jeunes «gigolos» du pays. La Gambie a été reconnue, dans un article de journal en Suède, comme LA destination touristique où une femme, quel que soit son âge ou son apparence, peut passer du bon temps. Il suffit qu'elle offre au jeune homme quelques repas, quelques sorties et un sac de riz pour sa famille en partant. Pour moi, cette pratique est un échange de bons procédés. La femme est en sécurité, elle ne se fait pas aborder à tout bout de champ puisqu'elle est accompagnée, elle a un partenaire pour danser en boîte, quelqu'un pour marchander pour elle au marché et avec les chauffeurs de taxi. Souvent, elle accompagne même le jeune homme dans sa famille et connaît ainsi un peu mieux le pays que si elle restait bouclée à son hôtel. Si elle veut l'avoir dans son lit, c'est son choix à elle. Lui n'insistera jamais. Ce qu'il veut surtout, c'est aller au resto, se promener, sortir en boîte, être partout où il peut en compagnie d'une femme blanche. Il sera satisfait de recevoir des petits cadeaux et le sac de riz qu'il lui quémandera avant qu'elle ne parte.

Oui, j'approuve, même si certains considèrent que c'est une forme de prostitution, à condition que les deux adultes consentants sachent exactement de quoi il retourne et ne se racontent pas d'histoires. Lui, son but ultime, c'est de sortir de Gambie pour aller en Europe. S'il n'est pas amoureux, qu'il ne la berne pas en le lui faisant croire. Et elle, si elle n'est pas amoureuse et ne compte pas le faire venir dans son pays, qu'elle ne le laisse pas s'illusionner. Ainsi, tout est clair et net. Il y a dans tous les pays du Nord des milliers d'hommes du Sud que des femmes amoureuses ont aidés à émigrer et qui, une fois les papiers obtenus, les ont laissées choir avec quelques illusions et beaucoup d'argent en moins. Il faut connaître un vrai désespoir pour profiter ainsi des sentiments d'une femme. C'est souvent le cas de ces hommes.

Niamo est d'accord avec moi. Quand il travaille comme guide et qu'on l'invite au resto, ou à prendre un verre, que l'invitation vienne d'une femme, d'un homme ou d'un couple, il accepte toujours. Mais il n'acceptera jamais une proposition d'ordre sexuel, m'assure-t-il. Il s'est ainsi fait des relations dans plusieurs pays. Il reçoit parfois, de la part de gens qui l'ont apprécié, des petites sommes d'argent, des livres, même des vêtements. Certains touristes reviennent en vacances tous les ans et le réclament à l'agence pour laquelle il travaille. Ces Européens ont beaucoup appris de lui et réciproquement.

En retournant à la maison, nous sommes bloqués par un bouchon. Les automobilistes ont arrêté leur moteur. C'est signe que ça fait un bon moment que ça dure. Je fais la même chose et nous descendons voir ce qu'il en est. Il y a un attroupement; c'est difficile de s'approcher. Niamo questionne quelques badauds qui se contentent de hausser les épaules ou de répondre: «Je ne sais pas exactement, je viens d'arriver.» Je m'approche en jouant des coudes; j'entends les mots «camion», «c'est la faute du jeune». Oh! misère! C'est bien mon camion qui est en travers de la route; l'autre camion a grimpé sur un talus après avoir défoncé le mur d'une case. Mao m'aperçoit et vient vers moi. Il a l'air un peu secoué, mais il n'est pas blessé. Je lui demande ce qui s'est produit; il a du mal à s'exprimer à cause du choc. La police est sur place et interroge des témoins et les deux chauffeurs. Je les rejoins et me présente comme la propriétaire du camion bleu. Je demande des explications. Coly, la tête basse, se tient le poignet mais n'est pas blessé non plus. Un policier me raconte que, d'après les témoins, mon chauffeur aurait voulu doubler un taxi-brousse arrêté au bord de la route et aurait ainsi frappé de plein fouet un camion venant en sens inverse. Le propriétaire dudit camion arrive sur ces entrefaites. Il est bien habillé et fait vraiment «monsieur», mais il attrape son chauffeur par le collet et s'apprête à lui asséner un coup de poing. Un policier arrête son élan et lui indique mon chauffeur, disant que c'est lui le responsable. Comme il va sauter sur Coly, il me voit et retrouve une attitude de gentleman. Nous échangeons nos numéros de téléphone et Mao lui explique où nous habitons. Je lui précise que j'ai une assurance au tiers, c'est-à-dire qu'elle rembourse les dommages causés à un autre véhicule, mais pas au mien. Nous convenons de nous revoir plus tard, le soir même.

Les deux camions ont subi le même genre de dommages: phares cassés, capots, pare-chocs, calandres enfoncés, pare-brise éclatés. Les policiers dispersent la foule pour permettre aux autres véhicules de circuler. Ils appréhendent Coly qu'ils emmènent au poste. Notre camion est poussé jusqu'à un terrain vague. On peut le laisser là, à condition que quelqu'un reste pour le surveiller. Déjà que Coly a failli être lynché au moment de l'accident, des gens peuvent s'en prendre à notre camion et le mettre en pièces détachées. L'autre véhicule peut rouler, et il repart cahin-caha. Niamo se porte volontaire pour demeurer sur place, assis dans la cabine, pendant que l'on ira chercher Labaly, en espérant qu'il se porte mieux.

La première personne que je vois en arrivant chez l'oncle est son fils Lamine. Celui-là même qui m'a demandé des cheveux ce matin. Je le mets au fait de ce qui vient de se produire et le tient pour responsable. Je l'accuse ouvertement, spontanément. Suis-je sincère? Est-ce que je crois vraiment qu'il est, par un maraboutage, la cause de l'accident? Dans quel but? Jalousie? Envie? Pourtant, c'est le gagne-pain de son père. Je ne sais pas et ne saurai jamais. Il est très gêné et se défend avec véhémence. Je le calme. Je ne veux pas attirer l'attention sur nous. Les épouses de Labaly et les enfants sortent pour me saluer et m'encourager avec des mots que je comprends à moitié. Mao revient enfin, Labaly sur les talons. Nous emmenons les trois fils, dont Lamine, avec nous. Ils s'entassent à l'arrière de la voiture. Personne ne dit mot jusqu'au lieu de l'accident.

Avec l'aide de badauds restés sur place et de Labaly au volant, le camion est poussé sur la route. On a dû arrêter toute circulation. Moteur éteint, puisqu'il ne démarre pas, sans phares, puisqu'ils sont cassés, et sans freins, nous partons. Je suis en voiture. Le camion est poussé à l'arrière par Mao, Niamo et les trois fils de Labaly. Quatre autres hommes, que personne ne connaît, jouent les éclaireurs avec des lampes torches. Ils nous précèdent et arrêtent les véhicules aux croisements où il n'y a pas de stops, pour permettre au camion de passer sans avoir à s'arrêter. Il fait nuit et cette expédition n'est pas sans comporter de risques, surtout dans les virages ou pour tourner aux carrefours. Mais nous arrivons à destination sans plus de drame. Nous laissons le camion dans un atelier en plein air, près de chez Labaly.

Je laisse Mao conduire pour retourner à la maison. Nous passons par la prison afin de payer la caution de Coly. Je l'y aurais bien laissé, mais Mao insiste. Je suis vidée d'avoir sécrété autant d'adrénaline pendant les deux dernières heures. Un bol de riz avec sauce aux arachides nous attend sur la table de la cuisine. C'est extraordinairement bon. Il est vingt et une heures et je n'ai pas mangé depuis le sandwich à la plage à midi. Le téléphone sonne ; c'est le propriétaire du camion qui demande s'il peut passer. Puisqu'il le faut ! Il dit avoir fait examiner son camion par un mécanicien qui a fait un devis. Il me le montre. Il me tombe presque des mains quand je vois le montant. L'équivalent de quatre mille dollars. Qu'il me le laisse ; j'irai voir ma compagnie d'assurances demain à la première heure.

Ce que je fais. Mao tient à m'accompagner ; il connaît quelqu'un qui y travaille. C'est d'ailleurs la raison pour laquelle nous avions choisi ce bureau, en premier lieu. Je montre le devis à l'homme en question. Pas de problème, l'assurance paiera. Je lui parle de notre camion, qui aura les mêmes réparations. Il me confirme ce que je savais déjà : la compagnie ne peut rien payer, le camion n'étant pas assuré pour ses propres dommages. Pour nous consoler, nous allons manger un *shawarma*, puis nous quittons vite Banjul, la capitale. C'est une ville sans intérêt où nous risquons, plus que n'importe où ailleurs, de casser les amortisseurs de la voiture. Les rues n'ont pas été repavées depuis bien avant l'indépendance, en 1963, donc au moins depuis trente et un ans.

En arrivant à l'atelier de mécanique, nous apprenons que le coût des réparations de notre camion s'élèvera à quatre mille cinq cents dollars : pièces du moteur, tôlerie, peinture, phares, pneus avant, etc. C'est la catastrophe ! Je devrai demander qu'on me fasse un virement de mon compte de Montréal à celui de Banjul. Je téléphone à ma Caisse Populaire et je parle à la gérante que je connais personnellement. Elle s'occupera de la transaction. Je fais virer dix mille dollars. L'argent doit arriver dans les quarante-huit heures. Quinze jours plus tard, je n'ai toujours rien reçu. Pourquoi ? Je n'en ai pas la moindre idée. J'appelle à Montréal pour vérifier ; on m'assure que le transfert a été fait comme convenu, ce ne sont donc pas eux les responsables.

Entre-temps, avec le peu d'argent qu'il me reste, nous devons acheter les pièces pour le moteur. Du moins celles que l'on peut trouver sur place. Pour celles qu'il est impossible de se procurer en Gambie, Mao doit aller à Dakar avec Souleyman, son mécanicien sénégalais. Ce dernier est très sympa et comme j'ai soigné et guéri une blessure qu'il avait à la jambe, il répare ma voiture presque gratuitement et est toujours prêt à nous rendre service. Étant donné que Mao ne parle pas assez wolof et qu'il ne connaît rien en mécanique, Souleyman est la personne idéale pour l'accompagner. Un jour aller, un jour là-bas, un jour retour. Nous sommes mardi ; donc, en partant mercredi matin, ils devraient être de retour vendredi. Ils reviennent dimanche ! Trois jours pour trouver la fameuse pièce. Ça ne m'étonne pas. Quand j'ai ramené Olivia et Annabelle à Dakar, le radiateur, qui avait été réparé avec du tabac à Ziguinchor, devait être remplacé. Souleyman, justement, l'avait vérifié et m'avait assuré qu'il pouvait tenir jusqu'à Dakar. Il m'avait aussi expliqué où aller pour acheter un radiateur d'occasion mais en bonne condition ; une rue entière où il n'y a que des marchands de pièces. La marchandise est moitié dans des cagibis, moitié dans la rue. Deux jours pour trouver le radiateur et le faire installer. Donc, je peux comprendre le retard de Mao.

Un matin, pendant l'absence de Mao, je me lève avant tout le monde et sors avec mon café. Doggy me suit. Je me dirige vers le manguier pour faire descendre Prince. Je vois alors que le mur gauche de ma maison en construction s'est effondré. Pourquoi le mauvais sort s'acharne-t-il ainsi contre moi? En m'approchant pour évaluer les dégâts, un serpent vert, assez long mais très mince, me file entre les jambes. C'est de mauvais augure! Le mur s'est écroulé à cause d'une racine du manguier qui l'a déstabilisé. Il n'y a rien à faire, sauf déraciner l'arbre, ce qui est impensable! Je suis moi-même écroulée.

Avec ce que j'ai donné à Mao pour les pièces et le voyage au Sénégal, je me retrouve sans argent. Pendant les neuf jours suivants, je mange du riz, des bananes et des arachides. Je refuse de manger plus que quelques bouchées de ce que préparent Mama Keba, Mariatou ou Maïmouna. Mao ne travaillant pas, elles n'ont que le strict minimum. Il y a toujours un côté positif à tout : je perds trois kilos. Je suis cependant un peu affaiblie. Je téléphone deux fois par jour à la banque à Banjul. On me dit que l'argent transite par la Chase Manhattan, mais on ne sait pas si c'est par les bureaux de New York, de Paris ou de Londres.

L'ambiance à la maison a déjà été meilleure. Mao se sent coupable de ne pouvoir subvenir aux besoins de la famille. Je vais cesser de m'énerver. Tout va s'arranger. Oui, l'argent arrive, mais le camion passe un long mois au garage. Donc pas de revenus pour moi ni pour Mao. Il a d'ailleurs envoyé ses femmes et ses enfants à Kamanka. L'année scolaire est terminée ; ils seront mieux là-bas.

Le camion roule quelques semaines, puis les problèmes recommencent : pneus crevés, amortisseurs cassés, plaques de frein usées. Ce foutu camion passe plus de temps immobilisé qu'à rouler. Je décide de le vendre : cinq mille dollars. Je pose des affichettes dans les supermarchés, à la poste ; je fais même passer une annonce dans le journal. Pour plus de visibilité, je le laisse devant le magasin d'une copine belge. Il est situé sur le bord de la route Serrekunda-Banjul. Il est très achalandé. Lili vend, entre autres choses, des pneus, des pièces de voitures neuves et d'occasion qu'elle importe de Belgique et de Hollande. Elle fait aussi venir des véhicules, qu'elle vend directement au port au moment où ils touchent le quai. Ainsi, elle n'a ni taxes à payer ni dédouanement à faire. Il est entendu que si elle vend mon camion, elle touchera dix pour cent du prix en commission. C'est une femme de mon âge, qui a déjà vécu au Québec ; je lui fais entièrement confiance. Je passe tous les jours. Le camion est toujours là.

Mao, ne voulant pas être à ma charge, préfère partir aussi à Kamanka rejoindre la famille. Il a d'ailleurs loué l'appartement de ses autres femmes. Une famille de huit personnes a déjà emménagé. Le loyer est de cinquante dollars par mois pour lui, plus les frais d'électricité et d'eau qui doivent être divisés en trois. C'est vraiment injuste pour Maïmouna et Karamo qui ne sont que quatre avec Néné et Niamo. Je paie le tiers à moi seule, mais je m'en balance. La concession a totalement changé. Les locataires sont sales, bruyants, mal élevés. Je me sens espionnée dans chacun de mes mouvements. Je n'aime pas leur comportement avec Prince à qui les enfants lancent des cailloux pour lui faire peur. Mon pauvre bébé passe ses journées à l'intérieur et dans la salle de bain où il s'amuse à sauter d'une poutre à l'autre et à ouvrir le robinet pour jouer dans l'eau. Quand je sors, je dois l'enfermer dans la maison avec le chien et les perroquets. Je me demande tous les jours ce que je fais dans ce bled. La magie est sur le point de s'estomper, je le sens. Pourtant, en faisant une balade un jour avec Niamo, je remarque une très jolie maison inhabitée qui n'est pas encore achevée. La grille de l'entrée est ouverte. J'entre et je remarque qu'il lui manque la peinture ainsi que les carreaux aux fenêtres. Je fais le tour ; le terrain est à l'abandon. Je demande aux voisins à qui cette maison appartient. Ils me donnent l'adresse de la clinique de planification familiale où travaille la propriétaire. Je vais la voir et lui dis que j'aimerais louer sa maison. Je m'occuperai des travaux qui restent à faire, brancherai l'électricité, l'eau, ferai la peinture extérieure et intérieure, poserai des dalles au sol, des vitres aux fenêtres, etc. Les frais seront additionnés et le montant sera déduit des premiers mois de loyer. Elle accepte ma proposition avec reconnaissance. Elle n'a plus d'argent pour finir les travaux et la maison, dans cet état, ne lui rapporte rien. Le loyer est de deux cents dollars par mois.

Le hasard a fait que je ne quitte pas encore l'Afrique. Je me sens revivre; Mao pourra revenir. Je ne parle à personne de ma décision, sauf à Niamo. Je fais mes bagages en douce. Oumi, l'autre sœur de Mao, passe nous rendre visite et elle voit des cartons déjà remplis et les pièces à moitié vides. Je n'ai gardé sorti que ce dont j'aurai besoin d'ici mon déménagement, dans deux jours. Oumi ne dit rien. Elle fait comme si elle n'avait rien vu. Mais, le lendemain, elle revient avec Mao et Na Aminata. Elle s'est rendue jusqu'à Kamanka pour les prévenir que je partais. Je reste assise sur le lit, interloquée. Mao pleure; ma belle-mère, à genoux devant moi, retire son mouchoir et me montre ses cheveux blancs. Je ne comprends pas ce qui se passe, ce qu'elle dit, pourquoi elle fait ça. Pourquoi ce drame? Maïmouna, Karamo, Niamo, Oumi, tous sont à la porte et attendent la suite des événements. J'appelle Niamo qui vient me servir d'interprète. Il me dit ce qu'Oumi a compris, ce qu'elle a raconté aux autres: que je divorçais et disparaissais pour peut-être même retourner au Canada. Quel malentendu! Je nie. Je demande à Niamo de leur expliquer que j'ai loué une maison où Mao sera chez lui autant que moi. Il pourra ainsi mettre mon appartement en location et avoir un revenu supplémentaire. Ça semble les rassurer. Je les emmène tous visiter la maison.

Elle a une immense pièce centrale, qui servira de salon et de salle à manger, deux grandes chambres à coucher, une cuisine avec évier, deux salles de bain, dont une avec un chauffe-eau, et une remise. J'explique les arrangements que j'ai pris avec la propriétaire et les travaux que je compte faire. Ils sont bouche bée. La maison est impressionnante, très moderne. Il y a des papayers sur le terrain et un énorme bosquet de basilic; les murs sont couverts de bougainvilliers. Cet endroit a un énorme potentiel. Me voyant tellement emballée, Mao sourit enfin, me prend dans ses bras et dit seulement : « Aïe, Mata ! », soulagé.

Le lendemain, nous allons acheter de la chaux pour peindre l'extérieur en blanc, de la peinture couleur crème pour toutes les pièces, sauf la cuisine qui sera jaune soleil. Les volets seront noirs. J'achète des rouleaux et des pinceaux pour six personnes : Mao, Niamo, Coly, Yusufa (le frère de Niamo), Samba (un de ses copains) et moi. Tous seront payés cinquante dalasis pour une journée de huit heures, sauf Coly qui travaillera gratuitement pour se faire pardonner sa connerie au volant du camion et rembourser la caution que nous avons payée pour le faire sortir de prison.

Comme les pièces sont vides, le travail se fait vite et bien. Le sol étant en ciment, il importe peu que les peintres amateurs le salissent avec des éclaboussures de peinture. À dix-sept heures, le travail est terminé. Je suis très contente du résultat, je crois que ça sera très joli. Nous retournons à la concession où nous avons été heureux. Nous y dormons pour la dernière fois, dans les bras l'un de l'autre toute la nuit. Pourtant, au matin, je suis triste, j'éprouve comme un sentiment d'échec. Dans ma tête, ce n'est pas comme ça que les choses devaient se passer. Nous devions être tous ensemble, avec Mama Keba, Mariatou, Khadi, Aïsatou, Lamine et Bunama. C'était un équilibre très fragile, dépendant surtout de notre situation financière.

Nous louons une remorque pour le déménagement. Un seul voyage et tout y est. Nous mettons en place meubles, frigo, gazinière. J'ai récupéré des blocs du mur écroulé de ma maison sur lesquels j'ai posé des planches pour en faire une étagère pour mes livres et mes bibelots. Ça me rappelle mes années de bohème. Je mets les tableaux peints à l'huile de mon père et mes tapisseries africaines aux murs. Je commence à me sentir vraiment chez moi. Je fais même le lit et nous partons chercher Prince, Doggy et les perroquets sans nom. Mon pauvre singe est extrêmement inquiet. Il tremble, crie sans arrêt. Je dois lui mettre une laisse, faite d'une ceinture de coton, autour de la taille. C'est la première fois depuis son arrivée à Serrekunda. Quand nous entrons dans la voiture, il tente de fuir, il a très peur. Je lui donne une banane qu'il pèle et mange sur mes genoux durant le trajet d'une dizaine de minutes.

Une fois à destination, je le garde en laisse sur mon épaule. Mao descend la cage des perroquets que nous laissons sous le porche. Je leur ouvre la porte. Ils ont toujours passé la journée dehors et la nuit dans la maison. Le chien explore le terrain en reniflant tout. Mao me dit que je devrais attacher Prince à une des colonnes du porche. Non, je refuse, il serait trop malheureux. Depuis Kamanka, il a toujours été en liberté. Je fais le tour de la maison pour lui montrer toutes les pièces. Dans l'aile gauche, la cuisine, notre salle de bain, puis notre chambre. De l'autre côté, la seconde salle de bain, la remise et la chambre de Niamo. Car, pour Mao, il n'est pas question que je vive seule pendant qu'il sera à Kamanka, c'est beaucoup trop dangereux. Une femme vivant seule, surtout une Blanche, risque de se faire cambrioler, violer ou même assassiner. Donc, Niamo me servira de gardien. Il a apporté le matelas en mousse que j'avais acheté pour Olivia et Annabelle. C'est maintenant le sien. Je pense à mettre une grosse poignée d'arachides et un os dehors à côté de la porte d'entrée. Je sors aussi un grand bol d'eau qui servira au singe, au chien et aux perroquets. Niamo va chercher des cocas à la *bitik* du Peul juste en face de la maison et nous trinquons à notre nouveau chez-nous.

Mao, le lendemain au réveil, me dit qu'il ne se sent pas bien et qu'il a mal partout. Je rigole. C'est sûrement à cause de tout l'exercice qu'il a fait, la peinture, le déménagement; il n'est pas habitué à se dépenser autant physiquement. Je lui fais un long massage. Je trouve sa peau un peu chaude. Il me dit pourtant qu'il a froid et se met à grelotter et à claquer des dents. Il fait son propre diagnostic: une crise de paludisme. Il en faisait régulièrement avant que nous vivions ensemble (ça fait deux ans et demi). Je trouve les Fansidar et lui donne la dose réglementaire de trois comprimés. Je le couvre d'un drap, d'une couverture, même de la couette que j'ai apportée de Montréal et que l'on utilise uniquement certaines nuits fraîches de décembre et de janvier. Il continue à dire qu'il a froid; pourtant, il est en nage. Pour soulager ses douleurs, il me demande d'appuyer très fort sur ses membres, surtout aux articulations. Ce que je fais. Puis je m'allonge sur lui, espérant le réconforter. Le médicament «anti-palu» que je lui ai administré semble faire effet. Mao somnole mais se plaint de maux de tête causés par la fièvre. Je lui donne de l'eau pour éviter la déshydratation, mais il la vomit aussitôt.

Il y a une petite pharmacie qui fait un coin de rue, pas trop loin. Je vais acheter une ampoule de Nivaquine et une seringue. Je lui en fais une injection intramusculaire dans la fesse. Il dort toute la journée. Il ne prend qu'une tasse de lait chaud le soir, se rendort et, le lendemain après-midi, il va assez bien pour se lever, même s'il se sent très faible.

La veille, occupée par Mao, j'ai négligé Prince qui a quand même passé la journée juché sur l'armoire à nous surveiller. À la tombée de la nuit, après son repas composé d'une banane, d'une mandarine et de tranches de concombre, il est sorti de la maison. Je l'ai suivi et je l'ai vu grimper dans un avocatier dont les branches dépassent un peu dans le jardin du voisin. Il est maintenant huit heures du matin; il devrait déjà être là. Bizarre! Je sors, je l'appelle. Le chien accourt, mais Prince ne vient pas. Pourtant, on n'a pas encore mis les carreaux aux fenêtres. C'est donc facile pour lui d'entrer dans la maison. C'est ce qu'il a fait le premier matin. Mao s'est recouché après avoir pris un thé; il écoute la radio. Je tente de cacher mon inquiétude et le préviens que je pars à la recherche de Prince. J'amène Doggy avec moi. Je vais d'abord chez les voisins immédiats. Comme c'est un quartier assez huppé, tous parlent anglais. Un petit garçon me dit avoir vu un singe, très tôt ce matin, dans un manguier, quelques maisons plus loin. Il en a été chassé et a fui, ajoute l'enfant. *Oh! my God!* Je continue à faire le tour des rues, de plus en plus découragée, en interrogeant tous les gens que je croise. Aurait-on vu mon petit singe? Une dame me répond qu'elle croit avoir entendu des gardiens de nuit en parler justement.

Alors qu'ils s'étaient réunis pour prendre l'*ataya* avant de commencer le travail, un singe aurait sauté parmi eux. Ils auraient eu peur, croyant d'abord que c'était un esprit. Puis, le prenant pour un singe sauvage, ils l'auraient attrapé, l'auraient tué et l'auraient fait rôtir pour le manger. Elle me fait entrer sur son terrain où elle trouve son gardien de nuit, un Diola casamançais qui, après maintes questions, finit par avouer que c'est la vérité. Je suis effondrée. J'ai envie de vomir. Je tremble. Je suis étourdie. Je ne peux pas croire à une telle cruauté. Je ne peux retenir mes sanglots. Ils me regardent, interloqués. Après tout, ce n'était qu'un singe! Comment pourraient-ils comprendre? Ce petit être m'avait tenu compagnie, m'avait fait rire aux larmes, m'avait émue, m'avait fait enrager. Je l'aimais comme on aime un enfant. Il était tellement dépendant de moi, me faisant entièrement confiance. À moi seule.

Je retourne à la maison, je vais retrouver Mao qui a tout compris avant même que je ne parle. Il me serre dans ses bras. Il doit avoir envie de me dire, comme pour le cambriolage, que j'aurais dû l'écouter et attacher Prince, ainsi qu'il me l'avait suggéré. Mais il voit que j'ai de la peine et il n'ose pas en rajouter. Conne, tête de pioche, madame Je-sais-mieux, comme je m'en veux! Je suis inconsolable. Cette peine durera éternellement. Je ne pourrai jamais y penser ou en parler sans avoir la gorge serrée et les larmes aux yeux.

Avec l'argent qu'il me reste, environ quatre mille dollars, je dois faire quelque chose. Maintenant, la maison est complètement habitable. Sol de dalles ocre, rideaux de tissus africains à toutes les fenêtres, tapisseries, tableaux et masques aux murs, c'est superbe. Les meubles, peu nombreux, ont l'air un peu perdus dans ces grandes pièces, mais c'est mieux que d'être entassés comme ils l'étaient avant. Mao est reparti au village ; il reviendra bientôt, car il doit tous les mois venir encaisser ses loyers. C'est maintenant son seul revenu.

Un matin, j'ai un éclair de génie. Je vais réveiller Niamo et, en prenant le petit-déjeuner, je lui parle de mon idée. Ouvrir, dans ce quartier qui est assez loin du marché, un endroit où je vendrais fruits, légumes, pains, œufs, poissons et crevettes. Il est convaincu que ça marcherait. Nous n'avons pas à chercher longtemps. J'ai remarqué, en passant plusieurs fois devant, un petit emplacement grand comme un garage, qui est situé à la porte d'une grande concession et qui semble inoccupé. Je vais voir les propriétaires et je leur demande s'il est à louer. Ils me répondent que non. J'insiste en leur expliquant ce que je voudrais en faire. Ils me demandent du temps pour réfléchir et me disent de repasser le lendemain. Ils acceptent finalement de me le louer pour l'équivalent de trente dollars par mois. C'est plus que raisonnable, surtout qu'il y a même un évier, l'eau courante et l'électricité. En outre, il est situé sur une route qui mène à une école primaire, donc très passante, et près d'un supermarché où l'on ne vend rien de frais comme ce que je compte vendre.

Je commande des étagères, un comptoir, des paniers d'osier. Je repeins tout l'intérieur en blanc, le sol de ciment en gris et tout ce qui est bois en noir. La mère de Niamo nous prête une balance qui a appartenu à son père. C'est une antiquité : deux plateaux, des poids, une base tout en laiton ouvragé, ce n'est pas banal. Il faut maintenant trouver une glacière, ou un frigo, enfin quelque chose pour conserver le poisson et les crevettes. Nous faisons le tour des magasins. Neuf, c'est hors de prix ; même d'occasion, c'est encore au-dessus de mes moyens. Je trouve alors un congélateur hors d'usage dont on a même retiré le moteur, mais qui est très propre ; nous y mettrons de la glace, c'est simple ! Je fais imprimer des prospectus annonçant l'ouverture prochaine du magasin. Je paie le fils des propriétaires pour les distribuer à toutes les portes des maisons avoisinantes. Cent, au total.

Avant l'ouverture, nous allons faire du repérage au marché de Serrekunda, dans une zone que je ne connaissais pas, celle où se trouvent les entrepôts des grossistes qui vendent pommes de terre de Hollande, carottes du Sénégal, ananas de Guinée, pommes de France, bref, tout ce qui est importé. Ils ont aussi des légumes et des fruits gambiens, à longue conservation. Ces entrepôts sont autour d'une grande place. Au milieu, il y a des douzaines de femmes qui, assises par terre, avec de grands paniers, vendent tomates, choux, salades, okras (ou gombos), concombres, etc. Elles vendent en gros et au détail. Elles arrivent au marché à l'aube, attendent les camions qui arrivent directement des champs avec leur cargaison. Le chauffeur crie le prix de ce qu'il a à vendre ; les femmes qui sont intéressées jettent alors en l'air un morceau de tissu en visant la marchandise sur laquelle il retombe et ainsi se la réservent. C'est fascinant !

J'ai fait faire deux grandes affiches : une pour l'angle de notre rue et de la route où il y a le supermarché et l'autre pour la devanture de la boutique. Le jeune peintre est assez doué. Il a reproduit un poisson, une crevette, des fruits et des légumes autour du nom : Mata's Market. Debout tous les matins à cinq heures, nous allons, tous les trois jours, nous approvisionner en poisson directement à un village de pêcheurs qui s'appelle Brufut. Il est situé à une vingtaine de kilomètres de la maison. Nous arrivons avant le lever du jour. Sur la plage, une vingtaine de femmes attendent déjà les pirogues que l'on voit au loin, fanaux allumés. Ces silhouettes de femmes et ces pirogues dans la pénombre ont quelque chose de surréaliste.

Les pirogues à peine accostées, chaque femme a déjà choisi celle dont elle veut acheter le contenu. Les poissons sont séparés selon l'espèce et la taille, ce qui en détermine le prix, et mis dans de grands paniers que des garçons transportent sur le sable sec. Chaque femme a un emplacement qui lui est réservé et sur lequel elle s'installe avec ses paniers. Le soleil à peine levé, les revendeuses, qui vont au marché de Serrekunda ou même à celui de Banjul, arrivent. La plupart ont leur poissonnière préférée. Elles tâtent et marchandent quand même, pour le plaisir. Elles mettent leurs achats dans leur grand panier qu'elles posent sur leur tête et repartent bien droites, la démarche fière, jusqu'aux cars rapides qui les attendent. Je reste dans la voiture pendant que Niamo choisit la marchandise. Il discute du prix, fait mine d'aller voir ailleurs, revient, continue de discuter, puis prend une dizaine de kilos de différents poissons que nous vendrons le double du prix. Nous allons ensuite acheter une dizaine de sacs de glace pour le congélateur. Nous allons vite le remplir, mettre les poissons sur la glace et nous repartons au marché acheter les fruits, les légumes, les œufs et les baguettes pour la journée. Comme les fruits et les légumes ne sont pas réfrigérés, ils ne se conservent pas longtemps. Seuls les oignons et les pommes de terre sont achetés en sac de vingt-cinq kilos et ne craignent pas trop la chaleur. Nous ouvrons le commerce à neuf heures et le fermons à dix-sept heures. Nos clientes sont surtout des bonnes qui font les courses pour leurs patronnes gambiennes, européennes et souvent libanaises. Elles sont contentes de ne pas avoir à aller jusqu'au marché. Aux bonnes des Libanais, nous vendons beaucoup de persil, de tomates et de citrons pour faire leur taboulé. Ce sont les meilleures clientes. Les Libanais ont, en général, de grosses familles, ils sont de gros mangeurs et ils considèrent la qualité avant le prix.

En fin de journée, ce qui n'a pas été vendu est mis dans la glacière. Puis ce qui est un peu ou beaucoup défraîchi sera mis dehors sur une petite table en tas de un ou deux dalasis, donné à des pauvres ou rapporté à la maison où ma nouvelle bonne en fera des sauces. Rien n'est jeté.

Rokia est une réfugiée casamançaise qui parle français, fait bien la cuisine, est très gentille et est enceinte de six mois d'elle ne sait qui. Elle arrive à la maison le matin au moment où nous partons, fait le ménage, la lessive, le repassage et prépare le repas du midi que Niamo et moi allons manger à tour de rôle. Elle prépare aussi le repas du soir que je n'ai qu'à réchauffer. Elle est payée vingt dollars par mois, ce qui est au-dessus du tarif normal, et habite chez sa sœur. Elle vient travailler à pied.

Parmi mes clients blancs qui font leurs courses eux-mêmes, il y a Hanne, une Norvégienne, jeune, blonde, très jolie, mère d'une petite fille de six ans. Elle a chez elle une école maternelle. Elle passe deux fois par jour en voiture pour accompagner sa fille à l'école et la ramener. Elle s'arrête souvent, achète beaucoup car elle doit aussi nourrir ses petits élèves le midi. Il y a aussi un Américain, Jack, la soixantaine, ressemblant un peu à Charlton Heston, marié à une Sénégalaise d'une trentaine d'années qui a trois filles de père dakarois. Elle lui en fait voir de toutes les couleurs. Le pauvre vient me raconter ses malheurs. C'est son quatrième mariage, pas plus réussi que les précédents. Il est pilote d'avion Canadair et passe ses étés à Marseille pour combattre les feux de forêt. Donc, trois mois à Marseille, un mois aux États-Unis où il va chercher son avion et huit mois en Gambie. C'est pas mal comme vie. Il est très sympathique, très ouvert et nous avons beaucoup de points communs, ce qui a créé rapidement entre nous une complicité assez spéciale. Il y a aussi Kathy, une Anglaise, rousse, qui vient surtout pour voir Niamo, lequel fait le paon, récitant Shakespeare et parlant de l'Angleterre comme s'il y était né. Ils sont très mignons tous les deux et sûrement un peu entichés l'un de l'autre.

Ces trois personnes joueront un rôle important dans ma vie dans un avenir rapproché.

J'adore m'occuper de ce petit commerce qui me permet de rencontrer des gens et de passer le temps agréablement en gagnant ma vie. Ce n'est pas le Pérou, mais ça me permet de payer le loyer de la maison, celui du magasin, la bonne et l'essence de la voiture pour les déplacements. Certains dimanches, il nous arrive d'aller acheter les légumes directement chez les agriculteurs. Nous les cueillons nous-mêmes. Ce que j'adore, c'est aller dans les petits villages vers l'intérieur où, quand nous repérons un oranger, un pamplemoussier, un mandarinier, un citronnier ou un avocatier, nous demandons au propriétaire s'il peut nous vendre tous les fruits qu'il y a dans son arbre. S'il est d'accord, nous négocions le prix, puis nous louons les services de petits garçons du village, qui grimpent pour faire la cueillette des fruits que nous entassons en vrac à l'arrière de la voiture. Le chef du village vient souvent nous voir et nous inviter à manger ou à prendre le thé, ce que nous refusons poliment, alléguant que nous sommes très pressés, et nous repartons, fiers d'avoir fait de si bonnes affaires.

La mère de Niamo lui a donné une bouteille remplie d'un liquide brunâtre, achetée d'un marabout, avec lequel il s'est aspergé le jour de l'ouverture de la boutique. Il a aussi versé un peu du même liquide à la sortie de la maison et à l'entrée du commerce. Il est convaincu que c'est ce qui fait notre succès.

Mao vient irrégulièrement et aux moments où on l'attend le moins. Un soir, à la fermeture, il me prend l'envie d'aller voir Maïmouna, que je n'ai pas vue depuis des semaines et qui me manque. Je lui apporte des fruits, des légumes, du pain, des œufs et un poisson.

J'arrive à la concession où j'ai été chez moi plus de deux ans. Je laisse la voiture dans la rue et nous entrons, Niamo et moi, par la porte piétonne qui est d'ailleurs ouverte. Un « *Salaam aleïkoum* » forcé aux étrangers qui habitent maintenant chez Mama Keba et Mariatou, et nous allons vers chez Maïmouna et Karamo. Le taxi de Karamo roule encore ; il est garé à la porte. Celui de Mao est à la ferraille depuis longtemps. Surprise ! Mao est là, chez sa sœur. Je suis si contente de le voir. J'interromps cependant mon élan. Ils ont un air bizarre, qui m'empêche de montrer mon plaisir de voir mon mari. Il se lève, me prend dans ses bras et me serre très fort, mais sans me dire : « *I love you, Mata* » comme il le fait toujours. « Qu'est-ce qui se passe, Mao ? » Il murmure : « Aïsatou est morte. » Quoi ? Il répète la même phrase encore plus bas. Ce n'est pas possible. Ça ne peut pas être vrai. C'est une petite fille de deux ans en pleine santé. « Mais comment, Mao ? » Il a du mal à parler. Il raconte à Niamo en mandingue, qui me traduit en anglais. Elle était à la cuisine avec sa mère et jouait autour. Elle est tombée à la renverse dans un faitout de sauce bouillante.

Ils l'ont tout de suite emmenée chez un guérisseur au fond de la brousse, près de la frontière de la Casamance. Ils ont dû traverser des champs en suivant des sentiers où ne peut passer qu'une charrette tirée par un âne. Le guérisseur, après avoir vu la petite souffrant le martyre, a dit à Mao qu'il pouvait les laisser, elle et sa mère, et revenir les chercher dans trois jours. Mao est donc reparti à Kamanka pour rapporter la charrette et l'âne qu'on lui avait prêtés. Aïsatou était brûlée surtout aux fesses et au dos. Que lui a-t-il fait ? Comment l'a-t-il soignée ? En appliquant sur ses brûlures des pommades, qu'il recouvrait de vieux morceaux de tissu malpropres. Au bout de trois jours, quand Mao est revenu, sa petite fille était mourante.

Cause : septicémie ! Elle est morte dans ses bras. Mourir à deux ans d'une manière aussi atroce ! Je la revoyais, courant vers moi en me tendant les bras avec son grand sourire qui ressemblait beaucoup à celui de son père. Je la connaissais bien ; sa mère me la confiait souvent lorsqu'elle était occupée. Je lui chantais des chansons en français et je lui donnais des yogourts, qu'elle adorait. Avant de pouvoir pleurer, je crie : « Pourquoi ne l'as-tu pas amenée ici à l'hôpital ? » « Je ne croyais pas que c'était si grave », me répond-il. Elle n'aurait sans doute pas supporté les quatre heures de taxi-brousse de Kamanka à Serrekunda. Il a raison, mais j'ai envie d'engueuler quelqu'un, même de taper. Mao me dit que c'est la faute de Mariatou qui ne la surveillait pas assez. Lui aussi est révolté et veut trouver un coupable. Mais c'est la faute de personne. C'est un accident ! Un accident ! Pauvre Mariatou. Quelle culpabilité tout le monde doit lui faire éprouver ! Et cette idée déclenche enfin mes larmes. Ce soir-là, nous faisons l'amour tristement, pour nous sentir vivants.

Mon récit est, depuis quelques chapitres, rempli d'événements malheureux ou dramatiques. Entre eux, pourtant, j'ai eu des jours pleins de bonheur et de joie, vivant des moments où rien de particulier n'arrivait mais où j'étais simplement bien, seule ou avec d'autres.

Moins de revenus, trop de frais. Je dois maintenant payer le loyer de la maison. La bonne a arrêté de travailler pour accoucher, donc je n'ai plus à la payer, mais tous les jours je suis à court de cent ou deux cents dalasis. Ce n'est pas grand-chose, mais le lendemain j'achète moins, donc je vends moins et ainsi de suite, jusqu'au jour où je n'ai plus d'argent pour le poisson. Il est inutile de continuer. Le camion n'est toujours pas vendu. Tout semble aller de travers. Pour Jack, l'« Américain », c'est la même chose. Il veut quitter sa femme et partir s'installer en Casamance, au Cap Skirring plus exactement. Nous connaissons tous les deux l'endroit qui nous semble totalement paradisiaque. Est-ce que ça m'intéresserait de monter une affaire là-bas avec lui? Sans trop réfléchir, sur un coup de tête une fois de plus, j'accepte. Je ferme la boutique, vends le peu d'équipement qu'il y avait, rends la balance à la mère de Niamo. Je quitte la maison et vends aussi tout ce qui s'y trouve comme meubles, appareils électriques, télé, magnétoscope, à Kathy, la petite Anglaise. Je lui laisse même Doggy. Les perroquets sont morts depuis longtemps. Je vends ma voiture à un Anglais, propriétaire d'un hôtel. J'ai ainsi un petit pécule qui me permet de voir venir. J'envoie, par quelqu'un qui part à Kamanka, une lettre à Mao pour lui expliquer mes projets. Je compte revenir souvent en Gambie qui n'est qu'à quelques heures de route. De toute manière, je devrai revenir toucher mon dû quand le camion sera vendu. Je compte aussi sur cet argent. Je laisse mes livres, bibelots, masques, peintures, tapisseries chez la mère de Niamo à Brikama. Tout s'organise assez facilement.

C'est l'anniversaire de mon fils Dany, du même âge que Niamo à deux jours près. C'est à lui que je choisis de téléphoner ; il annoncera aux autres que je quitte la Gambie pour aller tenter ma chance en Casamance. Comme je n'ai plus de téléphone depuis que j'ai quitté la concession de Mao, je me rends dans un Gamtel (bureau de téléphones publics). Dany est là, au bout du fil. Je suis tellement contente d'entendre sa voix. Après les souhaits et vœux de circonstance, après le deuxième « ça va ? », il m'apprend qu'il vient de souffrir d'un pneumo-thorax qui a nécessité une hospitalisation de quatre jours. Mon pauvre Danichou. Ça me serre le cœur, je n'étais pas là. Encore la maudite culpabilité qui remonte ; elle n'est jamais bien loin. Son frère Antoine, mon grand, mon aîné, vient de se séparer de la copine avec laquelle il vivait depuis quatre ans. Ce n'est pas la grande forme pour lui non plus, me dit Dany. Quant à Olivia, elle va bien, mis à part quelques petits problèmes financiers. Lorsque je lui annonce que je pars pour le Cap Skirring où j'aurai peut-être un resto, il me dit qu'il viendra et qu'on travaillera ensemble. Quelle bonne idée ! On se fait des grands bruits de bises, on se dit : « Je t'aime beaucoup, salue tout le monde » et clac ! Je reste dans la cabine et je pleure. Je n'ai plus envie de partir en Casamance. J'ai envie de rentrer à Montréal, d'être près de mes enfants. Mais je me suis engagée envers Jack et je DOIS aller jusqu'au bout de « mon aventure africaine ». Je ne lâcherai pas encore !

Je rentre à pied à l'hôtel où je loge depuis quelques jours. C'est à son propriétaire, Robert, que j'ai vendu ma voiture. Il m'a donné un certain montant d'argent pour ma Peugeot et, pour le reste, il m'offre le gîte et le couvert. Bon arrangement ! Niamo, qui habite maintenant chez Kathy, passe me voir tous les jours. Jack a dû se rendre aux États-Unis pour divorcer,

161

puisque son mariage avec sa Sénégalaise avait eu lieu à Phoenix. Il m'a promis qu'il serait de retour dans trois semaines. Nous devons nous retrouver au Cap, à l'Auberge de la Paix.

Niamo m'accompagne jusqu'à Brikama, où je dois prendre un taxi-brousse déglingué et bringuebalant qui attend d'être complètement chargé de passagers et de bagages sur le toit pour partir. Comme partout où il y a foule, on peut voir une nuée de petits *talibés*. Ils entourent les taxis. Ils ont entre cinq et quatorze ans. Ce sont des enfants confiés par leurs parents à des marabouts sans scrupules qui les exploitent. Ils sont souvent emmenés dans des pays voisins du leur pour éviter qu'ils se sauvent. Ils doivent quêter en psalmodiant des sourates ou des versets du Coran. Ils sont décharnés, ont le regard vide, sont habillés de haillons et sont couverts de gales. S'ils ne rapportent pas assez à leur marabout, ils sont battus et privés de nourriture. C'est une des choses les plus scandaleuses que j'ai vues en Gambie et au Sénégal.

On devra pousser le taxi pour le faire démarrer. Je suis assise avec, d'un côté, une grosse dame qui a un bébé dans les bras et, de l'autre, un vieux qui égrène son chapelet en marmonnant ses litanies. J'ai mangé une dizaine de brochettes de foie chez mon grillardin préféré. J'ai aussi acheté quelques bananes et un sachet de plastique contenant de la glace, qui peu à peu fondra, se transformant en eau glacée qui me désaltérera durant tout le voyage. Le seul inconvénient de ce système, par ailleurs très pratique, c'est qu'il faut tenir la pointe que l'on a coupée pour éviter que l'eau se répande. Un dernier adieu à Niamo, et un autre chapitre de ma vie commence.

Frontière! Tout le monde descend! C'est l'inspection des bagages car il y a beaucoup de contrebande entre la Gambie et le Sénégal. Apposition du visa. Quel plaisir de parler français! C'est bizarre, quand je passe d'un pays à l'autre, dans un sens comme dans l'autre, j'éprouve la sensation de rentrer chez moi. Au Sénégal à cause de la langue et en Gambie à cause de Mao et de la famille. Je suis vraiment Séné-Gambienne. Arrivée à Ziguinchor, changement de véhicule, nouvelle attente. Enfin, le Cap Skirring, taxi privé jusqu'au campement.

Les Djédiou sont très contents de me revoir. Ils se souviennent de moi; ils n'ont pas beaucoup de touristes québécois.

Ils me donnent une chambre à l'étage avec vue sur la mer. Je m'installe, redescends négocier un séjour de trois semaines. Ils me font un prix d'amie, chambre, petit-déjeuner et repas du soir : douze dollars par jour. Je descends à la plage pour nager et je m'endors au soleil.

Les jours passent. Je dors, je nage, je mange, je lis, je marche des kilomètres sur la plage, le soir je regarde la télé avec la famille, je me couche tôt, me lève tôt. Je suis dans une forme éblouissante. Et j'attends Jack. Les trois semaines passent et je reçois, à l'hôtel voisin du campement, un *fax* dans lequel Jack m'annonce qu'il sera un peu retardé mais qu'il arrivera très bientôt. Il débarque dix jours plus tard, Nous sommes très contents de nous revoir. Il loue aussi une chambre à l'auberge. Après quatre jours de repos, il souhaite changer de logis ; il trouve l'auberge trop chère. De plus, il est végétarien et n'y mange pas à son goût. J'ai rencontré, au marché du village, une Française qui a une chambre à louer chez elle. Nous allons la voir. Il y a deux lits dans une très grande chambre. C'est moins cher qu'à l'auberge ; Jack se montre très intéressé. Elle est d'accord pour installer un rideau pour la diviser afin que nous ayons chacun notre intimité. Il y a une salle de bain avec toilettes attenantes et une entrée privée. Nous pouvons accéder à la cuisine, au jardin qui surplombe la mer et qui est magnifique, et Jack est très content. Moi aussi, quoique j'aime bien l'Auberge de la Paix. Mais c'est vrai que c'est quand même un peu cher. Bon !

Jack, maintenant divorcé de sa Sénégalaise depuis deux semaines, me dit qu'il doit se trouver une autre femme le plus rapidement possible. La Française a une amie peule, célibataire, qui vit et travaille à Ziguinchor. Elle parle français et anglais, ayant déjà travaillé pour des Canadiens. Ils partent tous les deux le lendemain matin pour rencontrer la femme en question. Jack passe quelques heures avec elle. Trois jours plus tard, il retourne la voir et revient le lendemain avec elle, marié. Il bat mon record ! Mame Rose, c'est son nom, est grande, belle, éduquée ; elle a trente-huit ans et un fils adolescent. Il n'est plus question que je partage la chambre avec eux, alors je m'installe dehors dans le jardin, sur un coussin de chaise longue, avec à chaque extrémité une chaise qui sert à soutenir une moustiquaire. J'entends les vagues déferler sur la plage, il fait frais, je regarde les étoiles. C'est céleste! Je ne paie plus de loyer mais je dois me nourrir. Jack a converti sa nouvelle femme au végétarisme. Lui s'est converti à l'islam. J'ai moi-même choisi son nom: Abdou Karim, Karim tout court pour les proches.

Je prends mes repas du soir à l'auberge, chez mes amis, à cinq minutes à pied. Karim, Mame Rose et moi prospectons pour trouver une possibilité d'investir, que ce soit bureau de change, resto, bar, salon de thé, pizzeria. C'est difficile et compliqué. Le Sénégal, c'est un peu la France sur le plan administratif. Nous sommes étrangers; il faudrait que tout se fasse au nom de Mame Rose. Jack/Karim n'est pas trop emballé par cette idée. Tout compte fait, il préférerait acheter un verger. Mais le temps passe, rien ne se précise et mon argent fond. Je dois aller en Gambie voir ce qui se passe avec mon camion. S'il n'est pas vendu, je pourrai peut-être l'amener ici pour le vendre. La Française m'a présentée au sous-préfet qui m'a dit que, avec son aide, ça pourrait se faire. Moyennant un petit cadeau, bien sûr. Je téléphone à Lili qui me dit de venir, qu'elle a vendu mon camion. La communication est mauvaise, je n'ai pas plus de détails. Je pars donc en Gambie.

J'arrive chez la mère de Niamo, il y est justement. Il n'habite plus chez son Anglaise, il est rentré chez sa maman. Nous nous rendons tout de suite à Serrekunda voir Lili. Oui, elle l'a vendu, trois mille cinq cents dollars, elle me montre le contrat. Elle a touché un montant d'argent qu'elle considère comme sa commission; le reste doit être payé en six versements durant six mois, sinon j'hériterai d'un terrain que l'acheteur a mis en garantie. Ce dernier habite très loin, de l'autre côté du fleuve, dans un bourg dont j'ai vaguement entendu parler. Il n'a pas d'adresse et, bien sûr, pas de téléphone. D'après cette imbécile de Belge, il a affirmé qu'il revenait à Serrekunda pour ses affaires tous les mois; c'est à ce moment qu'il paiera ce qu'il doit. Cette femme est complètement naïve ou quoi? Elle croit que ce monsieur Touré va vraiment continuer à payer? Puis, soudain, je comprends tout. Ce n'est pas elle, la naïve, c'est moi. Je me suis fait avoir par une femme, blanche, européenne, de mon âge, qui me faisait la bise et se disait mon amie. Elle a peut-être touché la totalité du montant de la vente. Le contrat est une photocopie très floue. Il est peut-être bidon. Je suis folle furieuse, mais je n'ai aucune preuve. Je suis outrée! Nous repartons à Brikama, complètement déprimés. Comment me sortir de cet imbroglio? Il me reste très peu d'argent, pas assez pour payer les services d'un avocat.

Le soir même, assise dehors avec Niamo et toute sa famille, je me mets tout à coup à frissonner, je me sens bizarre. Quelqu'un me laisse sa chambre qui est séparée de la case principale. Je vais me coucher, me couvrant bien. J'ai chaud, mais je continue à grelotter et je commence à avoir un peu mal à la tête. Ce n'est pas désagréable. Je dors irrégulièrement et d'un sommeil très léger. À l'aube, ça va un peu mieux. Je vais au marché avec Niamo pour acheter des fruits. Je les mange avec appétit. J'achète quand même des Fansidar contre le paludisme et prends les trois comprimés réglementaires. Tous les dimanches, depuis que je suis en Gambie, je prends des prophylactiques, donc je ne devrais pas avoir le paludisme. C'est peut-être la colère rentrée contre la Belge qui me rend malade. Je me recouche, recommence bientôt à grelotter, à suer, à avoir froid, chaud, mal à la tête. Je me sens de plus en plus mal. Niamo est d'avis que je devrais aller à l'hôpital. Un taxi nous amène au MRC (Medical Research Center), hôpital privé, dirigé par des Anglais spécialistes en maladies tropicales, surtout le paludisme qu'ils appellent «malaria». Je fais quarante et un degrés de température; on me met aussitôt au lit. On me donne une injection et des comprimés, et on me fait une prise de sang. Malheureusement, c'est vendredi soir et le laboratoire est fermé jusqu'à lundi. Le médecin qui m'examine fait le diagnostic: une crise de malaria.

Niamo repart chez lui et je reste là, dans une grande salle de trente lits occupés uniquement par des Gambiens, hommes et femmes, qui râlent, toussent, crachent, vomissent, se plaignent, appellent leur mère. C'est un cauchemar! Je finis quand même par dormir. Au matin, Niamo revient. Il reste à mon chevet toute la journée, m'essuie le front, me tient la main. Je suis encore fiévreuse et de plus en plus faible. On me donne des injections et des cachets. Les toilettes sont dehors; j'ai peine à m'y rendre. Le dimanche, Mao est là avec sa mère et sa sœur Oumi qui, prévenue par Niamo que j'étais à l'hôpital, est allée les chercher à Kamanka. Je peux à peine parler, mais il m'embrasse en pleurant et ça me fait du bien.

Le lundi matin, on m'apporte les résultats des analyses. J'ai la malaria, mais la malaria cérébrale qui s'appelle «plasmodium falsiparum» et qui est mortelle, si non soignée durant les trois premiers jours. J'en ai souvent entendu parler. Plusieurs coopérants étrangers qui travaillaient en région en sont morts. Mao vient quotidiennement pendant trois jours, mais il doit repartir à Kamanka. Il me demande d'aller y vivre quand je sortirai de l'hôpital. Il est convaincu que je serai guérie dans quelques jours. Il part en marchant à reculons, en m'envoyant des baisers avec la main. Une fois dehors, il se penche à la fenêtre ouverte et me crie: «I love you, Mata.» (Je ne l'ai jamais revu.)

Niamo est là tous les jours. Il m'apporte des bananes ou des oranges. L'hôpital ne sert que du riz cuit dans la graisse de viande; l'odeur me soulève le cœur. Les autres malades sont ravitaillés par les membres de leur famille. Ils peuvent ainsi être lavés et recevoir les soins qui ne sont pas donnés par le personnel de l'hôpital. Certains restent même à dormir sur place. Je m'affaiblis de jour en jour. On continue à me donner des médicaments. Bientôt, je ne peux plus me lever. La jeune femme très maigre qui était dans le lit à côté de moi a été trouvée morte ce matin. Je ne sais plus quel jour on est. Je suis continuellement dans un état de semi-conscience.

Après quinze jours, on me fait comprendre que je dois payer, pour au moins la première semaine d'hospitalisation, sinon je dois partir. J'ai confié mon argent à Niamo, l'équivalent de cent vingt dollars. L'hôpital coûte douze dollars par jour. Ce n'est rien pour les Québécois, mais c'est très cher pour les Gambiens, à qui l'on fait peut-être un autre prix. J'ai déjà dépassé mes moyens, je dois partir. J'explique la situation et on me donne mon congé pour le lendemain. Je demande à Niamo d'aller voir Lili pour lui demander de l'argent ou pour m'héberger. Elle dit ne pouvoir rien faire, elle est très sèche avec lui. Il va voir Hanne, la Norvégienne qui a l'école maternelle, mon ancienne cliente.

Elle vient tout de suite me chercher en voiture. Elle m'amène chez elle et m'installe dans le lit de sa fille de six ans, qui ira dormir dans le sien. Nous sommes le 19 décembre (je l'ai su plus tard); les enfants sont en congé. Le lit est très petit, avec un oreiller très mince, pire que celui de l'hôpital. Hanne m'apporte un thermos de thé noir tous les matins. Niamo a trouvé un peu d'argent pour m'acheter du pain. Après quelques jours, il n'a plus rien. Il dort par terre à côté de mon lit. Je suis aphasique et je ne peux plus marcher, à peine bouger. Je reste couchée sur le dos. Chaque mouvement me donne la nausée et m'étourdit. Niamo laisse la lumière allumée vingt-quatre heures sur vingt-quatre. Les rideaux sont tirés, il fait très chaud. J'entends les rats courir dans le plafond. J'ai des hallucinations. Je fais des cauchemars, je ne sais plus où est la réalité. Quand j'ai besoin d'uriner, je fais un signe à Niamo qui me prend dans ses bras et doit traverser la chambre de Hanne pour m'amener aux toilettes. Ma vue est embrouillée, mais je me vois en passant

devant un miroir : j'ai les yeux exorbités, un regard de folle !
Pendant les rares moments de lucidité, n'ayant rien de positif à
quoi penser, j'ai l'impression qu'il y a dans ma tête un oiseau
qui vole en se cognant partout. J'ai peur de mourir. Je panique
et je me mets à hurler. C'est ma seule façon de m'exprimer.

Après dix jours d'enfer où je perds de plus en plus la raison,
Jack/Karim arrive avec sa femme. Ils sont à l'auberge de Robert
pour les vacances de Noël. Niamo les a rencontrés par hasard et
les a prévenus de mon état. Je serre Jack dans mes bras en
pleurant. « Maison, *home* », c'est ce que je baragouine, mais il
me comprend. Il donne de l'argent à Niamo pour qu'il aille me
chercher à manger. Il prend dans mon sac mon carnet
d'adresses. Il choisit un numéro de téléphone au hasard, c'est
celui d'une de mes meilleures amies à Montréal. (Elle se
souvient encore du ton qu'il a employé pour dire : « *This is an
emergency.* ») Elle communique avec ma sœur, qui appelle mon
frère, lequel doit s'occuper de me trouver un billet d'avion. Le
mien (Dakar-Madrid-Montréal) n'est pas valide avant le mois de
juillet. Mon frère me téléphone chez Hanne pour m'annoncer
qu'il n'y a aucun siège libre à bord des vols Madrid-Montréal
avant le mois de février, que je dois prendre mon mal en
patience. Il ne peut pas imaginer à quel point je suis malade. Je
ne peux pas parler, je peux seulement crier. C'est un *bad trip*. Il
a aussi téléphoné à l'ambassade du Canada à Dakar : on lui a
appris qu'il y a en Gambie un couple de missionnaires évangé-
listes canadiens-anglais qui pourrait peut-être m'aider. Il rappelle Karim pour lui donner leurs coordonnées. Ce dernier
entre en contact avec eux et ils viennent immédiatement me
sortir de chez Hanne qui, j'en suis sûre, ne pouvait plus supporter la situation. Elle a déjà eu le palu, mais la crise a duré
trois jours ; c'est pourquoi elle a accepté de m'héberger. Elle
doit être soulagée.

Les missionnaires m'emmènent à l'hôtel de Robert où sont
déjà Jack/Karim et sa femme, Mame Rose. Le cuisinier me fait
un sandwich au jambon sur pain de mie, avec moutarde,
beurre et laitue. J'en pleure de plaisir. Je n'ai pas mangé un
vrai repas depuis le 4 décembre, on est le 29. Je prends un
bain dans une vraie baignoire, avec eau chaude, aidée par
Mame Rose. Mon frère téléphone pour nous apprendre qu'il
m'a finalement trouvé un billet pour le lendemain,

30 décembre, Banjul-Bruxelles-New York-Montréal. Mon fils Antoine m'attendra à Bruxelles. Il rassure aussi tout le monde en disant que, quelles que soient les dépenses faites pour mon bien-être, il se chargera personnellement de les rembourser. C'est inespéré, mais je veux retourner à l'hôpital, me faire examiner avant de partir. Mais surtout qu'on me donne un somnifère pour dormir. Les missionnaires m'emmènent dans une clinique privée à Serrekunda. Je connais le médecin-chef, qui en est aussi le propriétaire. Il m'a soignée plusieurs fois. Il me donne une chambre privée avec douche et toilettes. Mais surtout un somnifère. Je peux dormir toute une nuit sans être dérangée, sans faire de cauchemar.

Au matin, les missionnaires reviennent avec une assiette de dinde, purée de pommes de terre, petits pois et carottes. Je n'ai jamais mangé quelque chose d'aussi bon. Je revis. Je peux presque recommencer à parler, me sentant rassurée comme l'a été l'oncle Malang lorsque nous l'avons pris en charge. Je demande du shampoing, je prends une douche et me lave enfin les cheveux qui sont noirs avec de larges repousses grises. Mais je n'ai pas de démêlant; ils restent en grosses mèches, je ne peux même pas y passer le peigne. Je suis restée presque un mois dans le même pagne. Je peux enfin m'habiller. Je n'ai que la robe avec laquelle je suis arrivée en Gambie. Je me rends compte soudainement que mes yeux sont collants et que j'ai du mal à fermer les paupières. Le peu de lucidité retrouvée me permet de réaliser que j'ai depuis plus d'un mois les mêmes lentilles de contact jetables. J'arrive à les retirer; elles sont pliées et complètement desséchées.

Avant de partir, je dois aller chercher mon sac de voyage chez Niamo et lui dire au revoir. Il est à Brikama, qui est très près de l'aéroport. Les missionnaires m'y emmènent. Je me retrouve assise dans la chambre que j'ai occupée au début du mois, il y a un siècle. Comme c'est devenu depuis la chambre de Niamo, je vois ma couette et quelques sculptures que je veux ramener. Il y a une malle qui contient mes autres affaires dans la chambre d'Awa, sa mère. Je n'ai ni l'énergie ni la tête assez claire pour me lever et aller voir s'il y a autre chose que je pourrais remporter. Je reste là, assise, sans parler. Tout est totalement irréel. J'ai la tête vide, le cœur aussi. Je ne pense qu'à une chose : rentrer chez moi. Je remercie Niamo, qui a été le meilleur ami que j'ai eu de toute ma vie. Je le serre dans mes bras devant tout le monde. Il pleure; moi, je ne peux pas. Toute sa famille est là, ils me serrent dans leurs bras, à tour de rôle.

Je monte dans la voiture des missionnaires comme un zombie. Une fois à l'aéroport, ils font les démarches pour moi. Ils m'étreignent aussi en me souhaitant bon voyage. Puis un employé me soulève dans ses bras et me monte à bord de l'avion. Avant que je ne quitte la clinique, le médecin a accepté de me donner quelques somnifères; j'en prends un et je m'endors tout de suite après le décollage. J'ai la chance d'avoir trois sièges pour m'allonger.

Bruxelles, 31 décembre, dix heures. Je suis en robe de coton et en sandales. La température extérieure est de quatre degrés. On me transporte de l'avion à l'aérogare en fauteuil roulant. On me laisse dans une pièce VIP où je me retrouve seule. Il y a un canapé sur lequel je m'allonge. Je m'assoupis. Puis je suis réveillée par Antoine, mon fils, qui est là en chair et en os. Ma chair! Nous nous serrons très fort. Que je suis heureuse! Je suis sauvée, le cauchemar est enfin terminé. Il fait rouler mon fauteuil jusqu'à une cafétéria où nous mangeons un sandwich. Les gens me regardent. Je suis une incongruité: en robe d'été, les cheveux en mèches feutrées, l'œil hagard. J'ai encore l'air d'une folle. Ma belle-sœur, la femme de mon frère, a donné des bottes et un manteau à Antoine pour moi. Nous retournons à la salle d'attente où il me les donne. Je peux ainsi les porter pour monter dans l'avion vers l'Amérique. Je dors, je mange. Nous sommes le 31 décembre 1994, paraît-il; le champagne nous est offert mais tout est très confus dans ma tête, ça ne représente rien pour moi.

Escale à New York, changement d'avion, aucun souvenir, arrivée à Dorval. Ma sœur est là avec Olivia. Je suis toujours en fauteuil roulant. Olivia est très émue et sûrement très impressionnée de voir l'état pitoyable dans lequel je suis. Durant tout le trajet en voiture, elle me tient dans ses bras, j'ai ma tête sur son épaule. Je suis son enfant. Le lendemain, ma sœur, sur le conseil de mon frère, m'amène à l'Hôtel-Dieu. Je suis vue par un spécialiste en médecine tropicale. Après avoir étudié le résultat des prises de sang, il me dit que ma malaria cérébrale s'est probablement transformée en encéphalite virale. Çe qui expliquerait mon état mental.

Durant les deux semaines suivantes, que je passe chez ma sœur, je ressens les séquelles de ma maladie. Je ne peux pas me pencher sans que ma tête tourne, je suis faible, je n'ai aucune force dans les jambes et je tiens des discours bizarres. Je trouve les gens, en général, très superficiels et totalement inintéressants. Il paraît que tous ceux qui ont frôlé la mort éprouvent ce sentiment. Et je mange, je mange presque sans arrêt. Je prends rapidement du poids, ce qui me désole, mais je n'arrive pas à me contrôler. C'est la seule chose qui me procure un plaisir physique, et mon corps en a vraiment besoin. C'est une compensation. De chez ma sœur, je me retrouve dans une maison de chambres pour nouveaux immigrants, dans le ghetto Côte-des-Neiges. Je n'ai plus d'argent, plus de voiture, plus de maison, plus de meubles. Rien! Même plus de vêtements d'hiver. Mais ça va! Je suis vivante. L'aide sociale me donne un petit montant mensuel qui me permet de vivre en me serrant la ceinture. Puis je trouve des ménages à faire, ce qui me donne des sous supplémentaires.

Au mois de mai, je déménage dans un sous-sol, chez une amie, dans un quartier que je ne connais pas. Le bonheur de retrouver mes enfants, ma famille, mes amis, ma ville s'est estompé. Je n'ai plus envie de rien. Je parle de la mort. Mao que je n'ai jamais revu, Niamo, les enfants, la Gambie me manquent. Je ne peux écouter Youssou N'Dour ou quelque autre chanteur africain sans pleurer, c'est pathétique! Suivant les conseils d'un ami, je vais consulter son médecin, qui est tout simplement fantastique. Il décèle chez moi une dépression majeure et me donne un traitement en conséquence. Après trois semaines, je vais déjà beaucoup mieux. Je trouve un travail pour quelques mois, j'arrête de fumer, je déménage dans le quartier où je suis née, le Plateau. Je retrouve mes racines et une certaine joie de vivre.

ÉPILOGUE

Je vois parfois Omar, qui a maintenant deux fils. L'aîné s'appelle Mao. J'aimerais tellement pouvoir les voir plus souvent, mais sa femme, qui est Québécoise, préfère que je ne sois pas dans leur vie. Ça me désole. J'ai échangé des lettres et des coups de fil avec Niamo jusqu'en 2002. J'ai eu l'occasion de parler à Mao par l'intermédiaire de son frère qui nous organisait des rendez-vous téléphoniques. La dernière fois, c'était au moment de la mort de Ba Bunja. Mao n'a toujours que deux femmes, mais il a maintenant, aux dernières nouvelles, dix enfants.

Je vis seule avec mon chien que j'ai appelé Yoff. C'est le nom d'un quartier de la banlieue de Dakar où se trouve l'aéroport.

Dix ans déjà! Il m'a fallu ce recul pour pouvoir revivre tous ces moments si intenses, qui ont complètement transformé ma vision de la vie. Je ne regrette rien. J'ai beaucoup aimé Fatoumata. Mata pour les proches.

Pour tout commentaire : louisegirardin@yahoo.ca

MEMBRE DU GROUPE SCABRINI

Québec, Canada
2005